JÜRGEN MOLTMANN
WAS IST HEUTE THEOLOGIE?

QUAESTIONES DISPUTATAE

Begründet von
KARL RAHNER UND HEINRICH SCHLIER

Herausgegeben von
HEINRICH FRIES UND RUDOLF SCHNACKENBURG

114

WAS IST HEUTE THEOLOGIE?

Internationaler Marken- und Titelschutz: Editiones Herder, Basel

JÜRGEN MOLTMANN

WAS IST HEUTE THEOLOGIE?

Zwei Beiträge zu ihrer Vergegenwärtigung

HERDER

FREIBURG · BASEL · WIEN

Inhalt

Vorwort

Gegenwart der Theologie

In den Jahren 1984 und 1986 wurde ich aufgefordert, für die „Enciclopedia del Novecento", herausgegeben vom „Istituto della Enciclopedia Italiana" in Rom, längere Artikel über die „Theologie im 20. Jahrhundert" und über die Formen der gegenwärtigen „Vermittlung der Theologie" zu schreiben. Weil dieses umfassende enzyklopädische Werk des 20. Jahrhunderts nur auf italienisch, nicht auf deutsch erscheint, danke ich dem Verlag Herder und den Herausgebern der Reihe „Quaestiones Disputatae", ganz besonders aber Heinrich Fries, der die Manuskripte kritisch durchgesehen hat, für diese Möglichkeit der deutschen Veröffentlichung. Um den Essaycharakter des ersten Beitrags zu bewahren, habe ich auf ausführliche Belege verzichtet und eine dem Gedankengang nach geordnete Bibliographie angefügt, die als Lesevorschlag für weitere Studien verstanden werden kann. Der zweite Beitrag geht mehr ins Detail und ist darum mit Anmerkungen und Belegen versehen worden.

Die Aufgabe, vor die ich mich gestellt sah, war zunächst eine zusammenfassende Darstellung der *gegenwärtigen Theologie*, ihrer Aufgaben und Probleme und ihrer wichtigsten Richtungen, so wie diese mir selbst als einem Betroffenen und Beteiligten erscheinen. Ich habe nicht den Versuch einer rein objektiven Darstellung unternommen, weil auch er nichts anderes als ein subjektives Eingreifen in ein noch schwebendes Verfahren im Deckmantel der kühlen Distanz gewesen wäre. Ich habe nicht den Versuch der Selbstverleugnung unternommen. Wer als gegenwärtiger Theologe über die gegenwärtige Theologie spricht, redet immer subjektiv und engagiert und kann es gar nicht anders. Ich bin mir dieser Grenzen der eigenen theologischen Position und ihrer Perspektiven durchaus bewußt.

Auf der anderen Seite wurden mir aus eben diesem Grunde

auch die Notwendigkeit und die Schwierigkeiten der *Vergegenwärtigung der Theologie* in einem tieferen Sinne bewußt, mit der alle Theologen, besonders aber die Theologen in der modernen Zeit, zu ringen haben. Gegenwärtige Theologie ist nicht nur in einem chronologischen Sinne Theologie der Gegenwart. Gegenwärtige Theologie muß es auch in einem kairologischen Sinne sein. „Gegenwart" ist eine beständige und in der Geschichte niemals erfüllte Aufgabe der christlichen Theologie. Sie ist in besonderer Weise eine Aufgabe der *christlichen Theologie*, denn diese ist die Reflexion eines geschichtlichen, nicht eines mystischen Glaubens. Weil sie von Gott um Christi willen spricht, ist sie wie die jüdische Theologie auf die geschichtliche Erinnerung und die sie überliefernden Zeugnisse angewiesen. Sie muß die fundamentale geschichtliche Erinnerung Christi „vergegenwärtigen", um die Gegenwart in ihrem Licht zu deuten und die Zukunft, die in jener geschichtlichen Vergangenheit angelegt ist, zu eröffnen. Solange er die Zukunft der Gegenwart in der geschichtlichen Erinnerung zu erschließen vermag, so lange ist der geschichtliche Glaube lebendig und seine theologische Reflexion ist relevant. Ist dies nicht mehr möglich, dann verfällt die geschichtliche Erinnerung Christi an die historische Distanz, und die theologische Orientierung der Gegenwart geht auf andere Träger über. „Vergegenwärtigung" der geschichtlichen Erinnerung Christi und der Tradition seines Evangeliums ist also eine lebenswichtige Aufgabe der christlichen Theologie.

Das meinte Papst Johannes XXIII., als er zur Eröffnung des Zweiten Vatikanischen Konzils das Stichwort vom *Aggiornamento* ausgab. Das Wort bedeutet nicht nur Anpassung, Modernisierung und das Aufholen der davongelaufenen Zeit, sondern im Kern „Vergegenwärtigung". Zur Vergegenwärtigung gehört natürlich die *Anpassung* der Tradition an die neuen Formen des gegenwärtigen Bewußtseins und der gegenwärtigen Kultur. Wie sollte die Theologie sich ihren Zeitgenossen verständlich machen, wenn sie nicht die Tradition in die Sprache der Gegenwart übersetzen würde? Anpassung darf nicht zur Selbstauflösung führen, viel mehr wird im Prozeß der *Übersetzung* der Überlieferung in die Gegenwart die Sache des Evangeliums erst erkennbar. Erst im Wechsel der Gewänder aus dem Mittelalter in die

Neuzeit und aus der Neuzeit in die mögliche „Postmoderne" erkennt man den Träger der Gewänder und verwechselt ihn nicht länger mit diesem oder jenem Gewand.

Zur „Vergegenwärtigung" gehören aber auch der *Widerspruch* und der *Widerstand* der überlieferten Sache Christi gegen die Gewalttätigkeiten und das Unrechterleiden in der Gegenwart. Mit der *hermeneutischen Aufgabe* der Theologie geschichtlichen Glaubens ist immer dem Heilsglauben auch eine *therapeutische Aufgabe* gesetzt. „Vergegenwärtigung" der Theologie kann nicht nur Anpassung an den Geist der modernen Zeiten sein, sondern muß auch Teilnahme an den Leiden dieser Zeit und Widerspruch gegen ihre Urheber sein. Das heilende und befreiende Potential der geschichtlichen Erinnerung Christi wird noch nicht im „Modernismus", sondern erst in der Teilnahme an den Leidensgeschichten der Gegenwart und in der Parteinahme für die Opfer der „modernen Welt" offenbar gemacht.

„Gegenwart" ist nicht zuletzt eine Gabe und nicht nur eine Aufgabe der christlichen Theologie. Wer „gegenwärtig" ist, ist da, wo er erwartet wird. Wer „geistesgegenwärtig" ist, dem fällt zur rechten Zeit das rechte, bindende oder lösende Wort ein. Er tut in der gegebenen Situation das Notwendige. In diesem Sinne bezeichnet „Gegenwart" nicht einfach die heutigen Jahre, sondern den heute und nur heute gegebenen Kairos. Eine Theologie, die ihre „Gegenwart" in diesem Sinne entdeckt und findet, ist wahre gegenwärtige Theologie. Kein Theologe hat diese Dimension der „Gegenwart" in der Hand. Keiner kann sie herstellen. Aber jeder kann danach suchen und sich für die rechte Zeit öffnen. Jeder kann die Zeitzeichen wahrnehmen und deuten. Jeder kann die Leiden dieser Zeit spüren und an ihnen teilnehmen und dadurch zum „Zeitgenossen" werden.

„Gegenwart der Theologie" meint mehr als „Vergegenwärtigung der Theologie", sosehr sie die Vergegenwärtigung der Theologie im hermeneutischen Prozeß von Tradition und Reformation und im therapeutischen Prozeß von Anpassung und Widerstand voraussetzt.

„Gegenwart der Theologie" meint auch mehr als „gegenwärtige Theologie", sosehr es jeder bewußt gegenwärtigen Theologie um diese Gegenwart geht und gehen muß. Gegenwärtige Theologie und die Vergegenwärtigungen der Theologie zielen auf die „Gegenwart der Theologie" im göttlichen Kairos der Zeit. Darauf möchten diese zwei kleinen Beiträge hinweisen, denn das hatte der Verfasser vor Augen.

Tübingen, 31. Januar 1988   *Jürgen Moltmann*

I
Der Weg der Theologie
im 20. Jahrhundert

1.
Das Erbe des 19. Jahrhunderts

Die Weltgeschichte läßt sich nicht nach Jahrhunderten einteilen. Sie hat ihren eigenen Gang und ihre besonderen Epochen. Wir verstehen hier als das „19. Jahrhundert" diejenige Epoche der europäischen Geschichte, die 1789 mit der Französischen Revolution begann und 1917/18 mit dem 1. Weltkrieg und der Russischen Revolution zu Ende ging. Es ist dies die Welt, die aus der bürgerlichen Revolution hervorging und durch die sozialistische Revolution in ihren Grundlagen erschüttert wurde. Die bürgerliche Welt hat sich selbst immer wieder zu deuten versucht, um sich selbst zu legitimieren. Sie ist wesentlich auf Selbstauslegung angewiesen. Wir nehmen hier zunächst die beiden wichtigsten, aber einander widersprechenden Deutungen auf, um an ihnen die hinterlassenen Widersprüche des 19. Jahrhunderts und die wichtigsten Probleme der christlichen Theologie im 20. Jahrhundert aufzuzeigen: Die „Vision der Freiheit" und das „autoritäre Prinzip". Theologie ist immer auf die kirchliche Situation bezogen. Diese ist in der Moderne ihrerseits durch die soziale, kulturelle und politische Situation bedingt. Wir müssen darum mit dieser Situation der Welt des 19. Jahrhunderts beginnen, um die Gestalt der Kirche und die Formationen der theologischen Theorie zu verstehen.

Die Vision der Freiheit: „Freiheit, Gleichheit, Brüderlichkeit": mit diesen Prinzipien begann die Französische Revolution. Sie sind die ideologische Grundlage der bürgerlichen Welt. Die alteuropäische, klerikale und feudalistische Ständegesellschaft wurde zerschlagen. Es wurde eine neue egalitäre Leistungsgesellschaft aufgebaut: Nicht die Geburt, sondern die Leistung bestimmt den

Wert einer menschlichen Person. Die Souveränität der Fürsten und der absolutistischen Herrschaft „von Gottes Gnaden" wurde durch die Volkssouveränität ersetzt: an die Stelle des Obrigkeitsstaates trat der demokratische Staat, aus Untertanen wurden freie Bürger. Die konfessionell einheitlichen Glaubensstaaten wurden durch die Säkularisierung der Kirchengüter 1803 überwunden, an ihre Stelle trat der konfessionell neutrale, im Prinzip säkulare Staat. Religion wurde damit aus einer Staatsaufgabe zur „Privatsache" und zum Gegenstand persönlicher Entscheidungen gemacht. Der bürgerliche Mensch verlangte nach Religionsfreiheit gegenüber der Macht des Staates und nach Gewissensfreiheit gegenüber der Autorität der Kirche.

Der Aufbau der bürgerlichen Welt ging zusammen mit dem Aufbau der industriellen Arbeitswelt. Die neuen Maschinentechniken ermöglichten die erste „industrielle Revolution". Sie verursachte eine ungeheure Umschichtung der Bevölkerung in Europa: die Massen strömten vom Land in die Städte, es entstanden die industriellen Großstädte, zuerst in England, dann auf dem Kontinent. Als Arbeitskräfte und als Konsumenten konnten zum ersten Mal in der Geschichte alle Menschen gleich behandelt werden. Nationalität, Religion, Kultur, Geschlecht, Rasse, und was sonst immer die Identität des Menschen ausmachte, traten hinter diesen neuen egalitären Bestimmungen zurück. Die Verbürgerlichung und die Industrialisierung sprengten die ständischen Ordnungen und die historischen Grenzen der alteuropäischen Welt. Die Grundgedanken der Freiheit und der Gleichheit sind prinzipiell universal. Sie mußten darum auf immer neue Weise kritisch gegen ihre nur partikulare Verwirklichung gerichtet werden: Als das arrivierte Bürgertum eine neue, herrschende Klasse bildete, nahm darum das ausgebeutete Proletariat diese Ideen auf und forderte nach der politischen Freiheit auch die ökonomische Freiheit. Die „soziale Frage" war das große Problem der europäischen Staaten im 19. Jahrhundert. Als das europäische Bürgertum zur wirtschaftlichen Kolonisierung der Welt antrat, mußten deshalb die unterdrückten Kolonialvölker diese Ideen aufnehmen und zum Freiheitskampf gegen den europäischen Imperialismus antreten. Die Befreiung der Sklaven und die Abschaffung des Systems der Sklaverei in den USA und den europäischen Kolonien waren das große Thema in der ersten Hälfte des 19. Jahrhunderts. Die Gedanken der Freiheit und Gleichheit mußten endlich auch auf die von der patriarchalischen Kultur entrechteten Frauen überspringen und ihre Emanzipationsbewegungen inspirieren.

Das 19. Jahrhundert kann mit Recht als die Epoche der Freiheitskämpfe und der Revolten angesehen werden, durch welche die Hoffnungen der Amerikanischen und der Französischen Revolution verwirklicht werden sollten. Die Vision vom Reich der Freiheit, der Gerechtigkeit und des dauernden Friedens für alle hat in immer neuen Schichten des Volkes und in immer mehr Völkerschaften auf der Erde ein ungeheures Potential von menschlichen Energien freigesetzt. Geschichte wurde nicht mehr passiv als Schicksal oder Vorsehung erlitten. Zum ersten Mal wurde sich der Mensch seiner Macht bewußt, erhob sich zum Subjekt seiner Geschichte und übernahm die Verantwortung für seine Zukunft. Darin zeigt sich ein tiefgreifender Wandel in der modernen Mentalität: die Orientierung des Lebens an der Herkunft durch Traditionen hört auf, die Orientierung an der Zukunft durch Hoffnung und Planung tritt an die Stelle. Die Ordnungen des persönlichen und des sozialen Lebens werden nicht mehr naturrechtlich in Übereinstimmung mit den ewigen Gesetzen des Kosmos gebracht, Wirklichkeit wird vielmehr als Geschichte erfahren, in deren Möglichkeiten die Hoffnungen der Menschheit verwirklicht werden können. Dem Fortschritt im Bewußtsein der menschlichen Freiheit entsprach durchaus die Erkenntnis der zukunftsoffenen Wirklichkeit des menschlichen Lebens und des natürlichen Kosmos. Nicht mehr in der durch Traditionen vergegenwärtigten Vergangenheit und auch nicht in der durch Religion vergegenwärtigten Ewigkeit, sondern in der offenen, einladenden Zukunft suchte man den Sinn der Geschichte. Die großen Leitgedanken des 19. Jahrhunderts verbinden alle Hoffnung mit Geschichte und Geschichte mit Zukunft: Revolution, Evolution, Emanzipation, Fortschritt, Wachstum, Expansion. Schon die moderne Einteilung der Geschichte in drei Epochen: Altertum – Mittelalter – Neuzeit zeigt den säkular gewordenen Geist des Messianismus (Joachim di Fiore) in dieser Welt. „Der revolutionäre Wunsch, das Reich Gottes zu realisie-

13

ren, ist der elastische Punkt aller progressiven Bildung und der Anfang der modernen Geschichte", erklärte *Friedrich Schlegel* am Anfang dieser Epoche mit Recht. Doch seine Deutung der modernen Welt war nur die eine Seite.

Auf der anderen Seite findet man das *autoritäre Prinzip: „Gott, König und Vaterland".* Es ist der Ausdruck der konservativen Reaktion. Sie deutete die genannten Phänomene der modernen Welt konträr als Zeichen der Krise der Ordnungen des Lebens und des apokalyptischen Weltuntergangs. Dieser konservativen Option haben sich im 19. Jahrhundert die europäischen Großkirchen und ihre Theologen durchweg angeschlossen. Die katholischen Philosophen *De Maistre, Bonald* und *Donoso Cortes* entwickelten die Staatsphilosophie der Gegenrevolution, in der später auch die Stimme Roms sprach. Die deutschen, lutherischen Theologen *Julius Friedrich Stahl* und *August Vilmar* stellten Religion und Kirche als Rettung der Völker von der „Krankheit der Revolution" dar. Der calvinistische Theologe und Ministerpräsident der Niederlande *Abraham Kuyper* empfahl „Reformation wider Revolution": Alle Revolutionen sind gegen Gott gerichtet. Demokratie, Volkssouveränität, Liberalismus und Säkularisierung sind die teuflischen Namen des „Tieres aus dem Abgrund" und Zeichen des um sich greifenden Chaos. Die Revolution gegen die herrschenden Mächte ist Empörung gegen Gott, wie der revolutionäre Ruf: „Ni Dieu ni maître" zeigt. Darum führt die Revolution zum Atheismus und der Atheismus in die Anarchie. Nur die Religion vermag die Autorität des Staates zu retten. Nur Staatsautorität vermag das Leben der Gesellschaft in Ordnung zu halten. Nur die Kirchen können die Völker von der Krankheit der Revolution heilen. Der christliche Theismus wurde als staatstragende Religion dargestellt, sofern er die Einheit und die hierarchische Ordnung der Gesellschaft transzendental legitimiert. Mit Revolution und Atheismus, mit Liberalismus und Sittenlosigkeit, mit Demokratie und der Selbstvergötterung des Menschen aber hat das apokalyptische Zeitalter begonnen: Es ist die blutige Entscheidungsschlacht zwischen Katholizismus und gottlosem Sozialismus (Cortes), der Endkampf zwischen Christus und Antichrist (Vilmar, Stahl), der unversöhnliche Gegensatz zwischen dem Menschen Gottes und

14

dem gottlosen Menschen (Kuyper). Die großen Kirchen haben darum seit der Französischen Revolution und erst recht nach dem Scheitern der bürgerlichen Revolution 1848 die konservativen Ordnungsmächte unterstützt und eine konservative Anti-Trikolore von „Gott, König, Vaterland", oder „Gott, Familie, Vaterland" verbreitet. Sie haben sich selbst zur politischen Macht der Gegenrevolution gestaltet. Die Entwicklung der Demokratie in der Politik, des Liberalismus und des Sozialismus in der Ökonomie, der wissenschaftlich-technischen Rationalität und des Freiheitsbewußtseins in der Kultur stießen darum durchweg auf den Widerstand der Kirchen und der Theologie. Tatsächlich gibt es kaum eine Entwicklung des modernen Geistes, die nicht zunächst auf den Widerstand der Kirchen und der Theologie gestoßen wäre. Erst als das bürgerliche Zeitalter sich seinem Ende näherte, fanden Kirchen und Theologien zögernd positive Einstellungen auf die Entwicklungen der modernen Welt. Gleichwohl kann man nicht umhin festzustellen, daß die antirevolutionär-konservative Grundoption bis heute die geschichtliche Gestalt der christlichen Religion, ihre kirchlichen Formationen und ihre theologischen Darstellungen bestimmt. Der transformierende Prozeß der Revision dieser konservativen Grundoption begann erst in der Mitte des 20. Jahrhunderts und ist keineswegs schon erfolgreich zu nennen.

Das Erbe des 19. Jahrhunderts: Die bürgerliche Welt des 19. Jahrhunderts hat ein dreifaches Ende gefunden: Im Ersten Weltkrieg zerstörten sich die beiden protestantisch-bürgerlichen Großmächte Großbritannien und Preußen-Deutschland gegenseitig. Es wurde auch die säkular-bürgerliche Großmacht Frankreich zerstört. Die bolschewistische Oktoberrevolution in Rußland 1917 bedeutete für die bürgerliche Welt nichts anderes, als was sie selbst 1789 für die feudalistische Welt Alteuropas bedeutet hatte: die Zerstörung aller ihrer Werte und Grundsätze. Darum übernahm die antikommunistische Reaktion des Bürgertums alle ideologischen Elemente ihrer früheren feudalistischen eigenen Feinde und übertrug sie jetzt auf „den Kommunismus". Die antibürgerliche Grundoption der Kirchen verwandelte sich in ihre antikommunistische Grundoption. Der Ausgang des

Zweiten Weltkrieges 1945 brachte dann das Ende der Weltherrschaft Europas überhaupt. Aus den Trümmern Europas erhoben sich die beiden Supermächte USA und UdSSR. Die europäische Ohnmacht führte auch zur Befreiung der Völker in Afrika, Asien und Lateinamerika von Kolonialherrschaft und Imperialismus. Die Zukunft der Weltgeschichte wird hinfort nicht mehr nur durch Europa bestimmt.

Aus dem „Erbe des 19. Jahrhunderts" entstanden die Aufgaben für das 20. Jahrhundert. Wir können dieses Erbe darum in einer Reihe von Widersprüchen fixieren, die aufgelöst werden müssen, wenn die Menschheit weiterleben will:

1. Die Befreiung der *Wirtschaft* von Religion, Moral und Politik hat zum Liberalismus und dann zur Ausbildung des Kapitalismus geführt. Der Widerspruch zwischen Kapital und Arbeit verursachte im 19. Jahrhundert das Anwachsen des Proletariats, ab Mitte des 20. Jahrhunderts die überall steigende Arbeitslosigkeit. Die wissenschaftlich-technischen Entwicklungen kommen dem Kapital zugute. Die wachsende Macht der multinationalen Konzerne entzieht sich sowohl der nationalen Kontrolle wie der Mitbestimmung durch Gewerkschaften. Diese Entwicklung dient nicht dem Leben der Masse der Menschen, wenn sie nicht unter menschliche Kontrolle gebracht wird.

2. Die *wissenschaftlich-technische Zivilisation* hat zu einer ungeheuren Bereicherung, aber zugleich auch zu einer unbegrenzten Vermehrung der Menschheit geführt. Von 1926 bis zum Jahre 2020 wird sich die Menschheit vervierfacht haben: von 2 Milliarden auf 8 Milliarden Menschen. Überbevölkerung ist zum Schicksal der Menschen geworden. Sie hat aber auch die Natur und die Menschheit in ein ökologisches Desaster geführt, aus dem noch kein Ausweg erkennbar geworden ist. Ohne die Überwindung der ökologischen Krise gibt es jedoch kein Überleben.

3. Die politischen Formen der *Demokratie,* die in der bürgerlichen Welt des 19. Jahrhunderts entwickelt wurden, haben sich im 20. Jahrhundert offenbar nicht weiter ausbreiten können und sind selbst in den europäischen Ländern unsicher geworden. Auf der einen Seite gibt es bei der Verwirklichung der Menschenrechte keine Alternative zur Demokratie. Auf der anderen Seite ist der Konsens der Bürger über die Grundfragen der Politik im-

mer schwerer herzustellen. Darum werden die alten demokratischen Lebensformen durch den Aufbau von modernen Bürokratien und autoritären Kontrollen zurückgedrängt. Überall entstehen Militärdiktaturen, sowohl in der westlichen wie in der östlichen Welt. Auch in alten Demokratien sind autoritäre Regierungsweisen schwer abzuwehren.

4. Endlich hat das 19. Jahrhundert zwar eine weltweit ausgebreitete europäische Rationalität, aber kein politisch vereinigtes und mächtiges *Europa* hinterlassen. Das verlangt nach einer Relativierung und Integration des partikular gewordenen Europa in eine Weltkultur, die erst im Entstehen begriffen ist und deren Gestalt noch niemand voraussagen kann.

2.
Der Aufbruch der Theologie im 20. Jahrhundert

Man kann nicht davon ausgehen, daß alle Gruppen und Institutionen einer Gesellschaft synchron in der gleichen Zeit leben. Fortschritte werden stets einseitig gemacht. Darum gibt es in den modernen Gesellschaften so viele Anachronismen. Die religiösen Vorstellungen und ethischen Verhaltensweisen zeigen eine besondere Schwerfälligkeit bei der notwendigen Anpassung an neue Situationen und ihre Herausforderungen. Die kirchlichen Organisations- und Lebensformen besitzen ein erstaunliches Beharrungsvermögen. Die moderne Welt verlangt von der Religion häufig sogar mehr Unwandelbarkeit als frühere Kulturen: religiöse Stabilität soll offenbar die Instabilitäten des modernen Lebens ausgleichen. Darum sind auch die internen Probleme der Theologie oft nicht die zeitgenössischen Probleme der Gesellschaft, in der sie lebt. Die Kirchen existieren in einer signifikanten Ungleichzeitigkeit zur modernen Lebenswelt. Die Theologie im 20. Jahrhundert ist darum noch auf weite Strecken mit den Anpassungsproblemen der Kirchen und der Christen an die Entwicklungen im 19. Jahrhundert beschäftigt und ist der neuen Probleme des 20. Jahrhunderts noch nicht voll ansichtig geworden.

Auch innerkirchlich kann man eine gewisse Phasenverschiebung beobachten: die theologischen Probleme der bürgerlichen Welt, der wissenschaftlichen Zivilisation und der urbanen Säkularisierung wurden zuerst von der protestantischen Theologie aufgenommen und verarbeitet, seit 50 Jahren zögernd auch von der katholischen Theologie und erst heute von der orthodoxen Theologie. Diejenige protestantische Theologie, die man die „liberale Theologie" nennt, hatte sich schon seit Beginn des 19. Jahrhunderts auf den bürgerlichen Geist eingelassen: Glaubensfreiheit, Gewissensfreiheit und Gemeindefreiheit bilden die Voraussetzungen für die Freiheit der Theologie selbst. Im Anschluß an *Immanuel Kant* entwickelte diese Richtung die ethische Theologie, im Anschluß an *Friedrich Schleiermacher* die Glaubenstheologie. Gemeinsam ist ihnen der neue Bund zwischen dem Glauben, der auf die religiöse Bestimmung der persönlichen Existenz beschränkt wird, und der nach allen Seiten freigestellten wissenschaftlichen Vernunft, so daß der Glaube die Vernunft nicht behindert und die Vernunft den Glauben nicht auflöst. Dadurch wurden eine Reihe von Konflikten mit dem „Modernismus" vermieden, die die katholische Theologie tief erschütterten. Aber auch dieser Friedensvertrag zwischen christlichem Glauben und wissenschaftlicher Vernunft im liberalen Protestantismus war nur gültig, solange die bürgerliche Welt als „christliche Welt" angesehen werden konnte. Auch diese Form des Corpus Christianum zerfiel in den Schrecken der Weltkriege und im Terror faschistischer Diktaturen.

Die Gegenwart von Kirche und Theologie ist durch schwierige Ablösungsprozesse vom *Corpus Christianum* in seinen verschiedenen historischen Formationen beherrscht. Die orthodoxe Kirche verlor mit dem Sturz des christlichen Zaren in Rußland 1917 ihre letzte politische Stütze. Das war das Ende der byzantinischen Theokratie, mit der die orthodoxe Theologie seit Konstantin dem Großen verbunden war. Die römisch-katholische Kirche trat den Ablösungsprozeß vom Katholischen Staat aus eigener Kraft im Zweiten Vatikanischen Konzil 1962–65 an. Ihr Erneuerungsprozeß stand unter dem Leitgedanken Papst Johannes' XXIII. „Aggiornamento". In der evangelischen Kirche in Deutschland stellte sich im Kirchenkampf gegen Hitler 1933–1945 die „Bekennende Kirche" auf eigene Füße. Auch die

18

anderen europäischen Staats- und Volkskirchen lernten Widerstandshaltungen gegenüber der Staatsgewalt und entwickelten sich zu freien Kirchen, ohne überall schon zu Freikirchen zu werden. Alle drei christlichen Konfessionen erfuhren die Auflösung der von ihnen bestimmten Glaubensstaaten und bereiten sich auf die Annahme einer säkularisierten und pluralistischen Welt vor. Die Christen lernen, in einer indifferenten, nachchristlichen und nichtchristlichen Umwelt zu leben. Die Kirchen lernen, ohne politische Privilegien aus eigener Kraft zu existieren. Die christliche Theologie lernt, sich ohne Voraussetzungen einer allgemeinen und selbstverständlichen „natürlichen Theologie" verständlich zu machen. Dieser Ablösungsprozeß kann zur Marginalisierung von Glauben, Kirche und Theologie führen oder zur ökumenischen Universalisierung. Er kann zur Bedeutungslosigkeit oder zur Verchristlichung von Glaube, Kirche und Theologie führen. Darum lassen sich die neuen Chancen des Christentums im 20. Jahrhunderts positiv auch so formulieren: *Glaube* als christlicher Glaube, und nicht mehr als europäische Religion, im weltweiten Gespräch mit anderen Religionen und Weltanschauungen – *Kirche* als ökumenische Kirche Christi, und nicht mehr als bürgerliche Religion Europas –, weltoffene *Theologie* für das Zeugnis des Evangeliums in der kommenden Menschheitskultur. Die Säkularisierung des alten Corpus Christianum hat der Kirche und der Theologie die positive Chance eröffnet, wahrhaft säkular, nämlich weltoffen und weltweit zu werden. Die Prozesse der Enteuropäisierung und der Universalisierung der christlichen Kirche und Theologie beherrschen das 20. Jahrhundert.

3.
Auf der Suche nach säkularer Relevanz

Solange die christliche Kirche in einer christlichen Welt zu Hause war, lebte sie im Umkreis einer von ihr beherrschten und von ihrem Geist durchdrungenen, ihr entsprechenden Welt. In dieser „christlichen Welt" konnte die christliche Theologie eine „natürliche Theologie" voraussetzen, der alle Menschen auf Grund des „gesunden Menschenverstandes" zustimmten. Mit

„natürlicher Theologie" wird eine allgemeine und unmittelbare Gotteserkenntnis bezeichnet: Jedermann kann im Licht seiner natürlichen Vernunft erkennen, daß ein Gott *ist* und daß Gott *einer* ist. Die christliche Theologie gründet wohl in der Offenbarung Gottes, wie sie in der Heiligen Schrift bezeugt wird, im Corpus Christianum aber setzte sie sich selbst diese natürliche Theologie als Vorstufe oder Vorbereitung der Erkenntnis der Offenbarung voraus. So entstanden im Mittelalter die großen Synthesen aus christlicher und natürlicher Theologie, der *sacra doctrina* und der *prima philosophia*. Die Metaphysik des *Aristoteles* und ihre durch *Thomas von Aquin* vermittelte Rezeption galten als die selbstevidente Formulierung der natürlichen Gotteserkenntnis. Umgekehrt wurde durch die Synthese mit der natürlichen Theologie der *prima philosophia* die christliche Theologie zur Königin der Wissenschaften und so universal.

Seit dem Beginn der Renaissance haben sich die Wissenschaften von den Grenzen und den Gesetzen dieser theologischen Metaphysik emanzipiert. Sie haben ihre eigene Welt der wissenschaftlich-technischen Zivilisation aufgebaut. In der Universität der modernen Wissenschaften ist die Theologie so wenig „Königin", wie die Kirche in der modernen Welt noch die „Krone der Gesellschaft" darstellt. Läßt sich aber die Welt der Wissenschaften nicht mehr zu einem Kosmos des Wissens nach Maßgabe einer metaphysischen Theologie vereinigen, dann verliert die Theologie mit ihrer Vorherrschaft auch ihre Relevanz. Die modernen Gesamttheorien, mit welchen die Wissenschaften und ihre Ergebnisse immer wieder gedeutet werden, sind nacharistotelische Theorien und haben bis heute einen durchweg a-theologischen Charakter. Nicht das innere Wesen, sondern die universale Kompetenz und Relevanz der Theologie werden durch sie in Frage gestellt. Sie machen Theologie in ihrer traditionellen Gestalt funktionslos. Wie kann die Theologie den universalen Anspruch des Einen Gottes allgemein verständlich machen, wenn sie keine allgemeine, unmittelbare Gotteserkenntnis mehr voraussetzen kann?

Welche Funktion hat die christliche Theologie in der Welt der Wissenschaften, die sich von ihrer Leitung emanzipiert haben? Welche Gestalt also muß christliche Theologie in einer säkularisierten, nach-christlichen Welt annehmen, wenn sie ihre christliche Bestimmtheit wahren und zugleich ihre theologische Universalität erweisen soll? Diese Probleme wurden bisher in dem Fach „Fundamentaltheologie" (katholisch) und „Apologetik" (protestantisch) behandelt. Die Krise hat aber nicht nur die Außenansicht der christlichen Theologie ergriffen, sondern auch ihr inneres Wesen selbst. Wir finden darum nicht nur äußerliche Anpassungen der Theologie an den Geist der Moderne, sondern auch ernsthafte Entwürfe einer neuen Form von christlicher Theologie überhaupt. Sie alle suchen nach den Rollen und Funktionen, in denen christliche Theologie in der gegenwärtigen Situation *relevant* und in den modernen Fragen *kompetent* werden kann. Je nach der Analyse der soziopolitischen und kulturell-geistigen Situation der Gegenwart wird christliche Theologie als Ganze neu entworfen. Man hat dieses Verfahren auch die *kontextuale Methode* genannt: der mitzuteilende Text der Theologie muß auf den jeweiligen Kontext bezogen werden, in dem sich die Theologie vorfindet. Wir stellen hier nur die wichtigsten Richtungen vor: 1. die *hermeneutische Theologie*, 2. die *Säkularisierungstheologie*, 3. die *Theologie der Befreiung*, um dann 4. die Grundgedanken der christlichen *Theologie der Neuzeit* zusammenzufassen.

1. Das kritische Bewußtsein
und die Entmythologisierung des Christentums

Das Weltbild des Neuen Testaments ist ein mythisches Weltbild; es spricht von Himmel und Erde und Hölle. Die Geschichte ist ein Schauplatz übernatürlicher Mächte, Gottes, der Engel und des Satans mit seinen Dämonen. Die Menschen sind nicht frei, sondern entweder von Dämonen oder von Gott beherrscht. Diesem mythischen Weltbild entspricht die Darstellung des Heilsgeschehens in mythologischer Sprache: der Gottessohn steigt vom Himmel herab auf die Erde, opfert sein Leben am Kreuz, wird am dritten Tage von den Toten auferweckt, herrscht jetzt vom Himmel her und wird einmal kommen zum Tag des Gerichts. Für den modernen Menschen, der ein rationales Verhältnis zur Welt

21

und zur Geschichte gewonnen hat, ist dieses mythische Weltbild vergangen. Darum erreicht ihn die christliche Verkündigung nicht, wenn sie in dieser traditionellen mythologischen Sprache redet. Wer in der Woche technisch mit der Gültigkeit der Naturgesetze rechnet, kann am Sonntag nicht religiös an übernatürliche Wunder glauben. Ist aber die christliche Verkündigung an das mythische Weltbild gefesselt? Verlangt der Glaube an Christus zusätzlich die Anerkennung dieser antiquierten Weltanschauung? Weil dies nicht der Fall sein kann, muß sich die christliche Verkündigung von dem mythischen Weltbild befreien, um die Menschen in der modernen, rationalen Welt in einer nichtmythologischen Sprache anzusprechen.

Diese Aufgabe nannte *Rudolf Bultmann* das Programm der „Entmythologisierung". Er erfüllte damit die Aufgabe der historisch-kritischen Erforschung der Bibel und entwarf die Grundgedanken der „existentialen Interpretation", die bis heute die Hermeneutik der christlichen Überlieferung befruchten. Das mythische Weltbild der Bibel wurde durch das wissenschaftliche Weltbild des 19. Jahrhunderts ersetzt. Das Gefühl der Abhängigkeit von übernatürlichen Mächten wurde durch das freie Selbstbewußtsein des modernen Menschen überwunden. Was aber ist der Inhalt der christlichen Verkündigung und an wen wendet sie sich? Die christliche Botschaft bezeugt den *Glauben*, den Menschen durch Christus gefunden haben. Sie wendet sich nicht an das Weltverständnis des Menschen, sondern an sein *Selbstverständnis*. Auch schon in jenen mythischen Weltbildern der Bibel haben Menschen vornehmlich sich selbst gedeutet. Schon im Mythos drückt sich gläubiges Selbstverständnis, nicht die Suche nach einem objektiven Weltbild aus. Es ist die Aufgabe kritischer Textauslegung, in der mythischen Ausdrucksweise den existentialen Sinn der Glaubensaussage zu erheben, um diese dem gegenwärtigen Menschen als Möglichkeit seines Selbstverständnisses zu präsentieren. Der Mensch ist das Wesen, das sich selbst auslegen und verstehen muß. Es ist die Grundfrage des Menschen, ob er sich aus der Welt und aus seinen eigenen Werken, oder ob er sich aus Gott und aus Glauben versteht. Allein auf diese Entscheidungsfrage des Menschen richtet sich die christliche Verkündigung. Darum kann sie auf ein einheitliches, religiöses Weltbild verzichten und sich aus den Weltbildern der vergangenen Epochen und der europäischen Kulturen lösen: die Frage des Menschen nach sich selbst und der Wahrheit seines Menschseins bleibt davon unberührt bestehen, denn sie ist konstitutiv für das Menschsein des Menschen überhaupt.

Bultmanns Konzentration der Entmythologisierung auf die anthropologische Interpretation war und ist umstritten. Auch jene Theologen, die seine Voraussetzungen teilten, übernahmen nicht alle seine Konsequenzen. Lassen sich menschliches Selbstverständnis und menschliches Weltbild überhaupt trennen? Kann der Mensch sich selbst verstehen, ohne nicht zugleich auch seine Welt zu begreifen? Führt die existentiale Interpretation nicht in die Enge der bürgerlichen Privatexistenz? Die Diskussion über die Hermeneutik grundlegender religiöser und kultureller Traditionen hat nach Bultmann breitere Horizonte eröffnet.

Hans-Georg Gadamer und *Paul Ricœur* entwickelten eine philosophische Hermeneutik der Traditionen im kulturellen Wandel, in welchem verschiedene Verstehens- und Auslegungshorizonte des Lebens verschmelzen und neue entstehen. Nicht nur das Selbstverständnis des Menschen, auch sein Weltbild steht in einer Geschichte der hermeneutischen Erweiterung und Vertiefung, sowie grundlegender Paradigmenwechsel aufgrund neuer Erkenntnisse, wie an der Entwicklung der Physik von Euklid über Newton zu Einstein zu sehen ist. Bultmann hatte zu Unrecht das naturwissenschaftliche Weltbild des 19. Jahrhunderts absolut gesetzt. Die hermeneutischen Prozesse der Auslegung, Anwendung und Revision bestimmter Traditionen finden wir auf allen Lebensgebieten. Es ist darum sinnvoll, Weltverständnis und Selbstverständnis des Menschen als eine Einheit aufzufassen und diese differenzierte Einheit jenem Revisionsprozeß zu unterziehen, der notwendig ist, um in der Gegenwart die Herausforderungen der Zukunft zu beantworten. Das gilt auch für die christliche Verkündigung, die nicht auf die Seele oder die Existenz des Menschen beschränkt werden kann, sondern zusammen mit dem Menschen auch seine Welt und den Kosmos betrifft, wenn anders Gott die „alles bestimmende Macht" ist.

Die existentiale Interpretation der christlichen Glaubensver-
kündigung wurde auf der anderen Seite um ihre politische Interpretation erweitert. Die *politische Hermeneutik* und die *sozialge-
schichtliche Exegese* gehen davon aus, daß sich im mythischen
Weltbild der Bibel nicht nur Weltverständnis und Selbstverständnis der Menschen jener Zeit aussprechen, sondern daß sich
in ihnen auch soziale Konflikte und politische Machtkämpfe wi-
derspiegeln. Die biblischen Traditionen zeigen die Auseinandersetzungen der prophetischen Verheißung und des Evangeliums
Gottes mit der „politischen Religion" deutlich. Alle Traditionen
des Alten Testamentes gehen vom Exodus Israels aus der
Knechtschaft in Ägypten aus. Sie wurzeln in der Erfahrung reli-
giös-politischer Befreiung und werden durch das Passahfest immer wieder vergegenwärtigt. Alle Traditionen des Neuen Testamentes wurzeln in der Auferweckung des von den Römern als
Anführer gekreuzigten Christus durch Gott. Es sind Botschaften
real erfahrener und eschatologisch erhoffter Befreiung. Darum
greift die christliche Verkündigung auch heute kritisch-befreiend
in die reale, politische Welt ein und darf nicht auf die „Privatsache" des frommen Bürgers beschränkt werden. Die soziale und
politische Hermeneutik sieht in der christlichen Kirche ein Ferment der Befreiung des Menschen von den Grenzen und Zwängen der „bürgerlichen Religion" der modernen Welt. Sie versteht
die Bibel als „subversives", „revolutionäres Buch" in dieser Welt
unmenschlicher Gewalten und gottferner Mächte.

2. Die säkulare Welt und die Säkularisationstheologie

Unter „Säkularisation" versteht man wörtlich die Verweltlichung
von Kirchengütern, im übertragenen Sinne die Verweltlichung
von religiösen Begriffen, im Sinne der Theorie des Zeitalters die
Gesellschaft ohne Kirche, die Moral ohne Religion, die Wissenschaften ohne Theologie und den Menschen ohne Gott. Seit dem
Beginn der Aufklärung, des Rationalismus und der Revolution
haben Kirche und Theologie diese fundamentale Entwicklung
der modernen europäischen Welt als Abfall von Gott, als Auf-
ruhr gegen die Religion und Atheismus, der zur Anarchie führen

muß, verurteilt. Erst nach dem Zweiten Weltkrieg entstand eine kritische Theologie, die die Säkularisation positiv annahm und nur den Säkularismus verwarf.

Am stärksten wirkte *Dietrich Bonhoeffer* mit seinen Gedanken über „die mündige Welt". Säkularisation bedeutet für ihn positiv die Entgötterung der Welt und die Entdeckung ihrer Weltlichkeit. Gott als moralische, politische, naturwissenschaftliche Arbeitshypothese zur Welterklärung ist überwunden. Wir können nicht redlich sein, ohne zu erkennen, daß wir in der Welt leben müssen, auch wenn es keinen Gott gibt (Etsi Deus non daretur). Es ist darum falsch, wenn die Theologie „Gott" als Erklärung an wissenschaftlich noch nicht erkannten Stellen in der Natur oder als Ausfluchtgedanken in moralisch oder politisch nicht bewältigten Problemen einzuführen versuchen wollte. Sie muß die Weltlichkeit der Welt achten und die Mündigkeit des freien Menschen als Fortschritt begrüßen. Dies ist jedoch nur möglich, wenn die Theologie der modernen Welt ihre eigene Deutung bestimmter als bisher anbietet. Für Bonhoeffer wurde die religiöse Weltdeutung schon durch den christlichen Glauben an die Menschwerdung Gottes überwunden: Gott ist in die Weltwirklichkeit eingegangen und steht ihr nicht mehr gegenüber. Das Leben in der Welt „ohne Gott" wurde radikal durch die Gottverlassenheit des Gottessohnes am Kreuz aufgedeckt. Der Gott der Bibel gewinnt durch seine Ohnmacht in der Welt Macht: „Nur der leidende Gott kann helfen." Von der christlichen Erkenntnis des menschgewordenen und gekreuzigten Gottes her urteilte Bonhoeffer darum: „Die mündige Welt ist gottloser und darum vielleicht gerade Gott näher als die unmündige Welt." Die moderne, religionslose Welt beendet wohl das religiöse Zeitalter des Christentums, eröffnet aber zugleich die Möglichkeiten des echten, christlichen Glaubens. Die Aufklärung macht die mittelalterliche „natürliche Theologie" unmöglich und stellt die christliche Theologie auf sich selbst.

Auch *Friedrich Gogarten* entwickelte eine Theologie der säkularisierten Welt, er ging jedoch von der Anthropologie aus. Durch moderne Wissenschaft wurde die Welt der Natur entgöttert, entdämonisiert und zur Welt des Menschen gemacht. Die Wissenschaften erfüllen damit das Schöpfungsgebot: „Macht

Euch die Erde untertan." Sie befreien den Menschen von den Mächten und Gesetzen der Natur und machen ihn zu ihrem Herrn. Wenn aber das menschliche Subjekt sich nicht mehr aus den mächtigen weltlichen Ordnungen verstehen kann, wie soll es sich selbst begreifen? Gogartens Antwort lautet: Durch Glauben begründet der Mensch seine Existenz in dem transzendenten Gott und versteht sich aus ihm, nicht mehr aus der Welt. Er wird, christlich gesprochen, zu einem „Sohn Gottes". Wird er aber in der Gemeinschaft mit Christus zu dieser göttlichen Sohnschaft erhoben, dann wird er auch zum Erben der Welt, die Gott ihm anvertraut. Das Menschenbild des christlichen Glaubens und die neuen Möglichkeiten, die Wissenschaft und Technik bieten, konvergieren in der Stellung des Menschen „zwischen Gott und Welt". Wissenschaft und Technik hominisieren die Welt, der christliche Sohnesglaube humanisiert den Menschen: Wer ganz aus Gott lebt, wird der ganzen Welt gegenüber frei. Umgekehrt wird diese Freiheit von der Welt und diese Macht über die Welt nur durch Glauben bewahrt. Wahrer Gottesglaube begründet die weltliche Autonomie des Menschen und verhindert es, daß der moderne Mensch aus Angst vor seiner Freiheit in Ideologien und Diktaturen flüchtet.

Der amerikanische Theologe *Harvey E. Cox* versuchte eine Theologie für die „säkulare Stadt": Der Zusammenbruch der traditionellen Religion und Moral und die Entstehung einer neuen urbanen Zivilisation fallen zusammen und kennzeichnen die moderne Welt. Säkularisierung heißt soziologisch gesehen nichts anderes als Urbanisierung. In der modernen Großstadt (Megalopolis, Technopolis) wird die Natur entgöttert, die Geschichte defatalisiert, die Religion privatisiert, die Moral pluralistisch und der Mensch immer mobiler. Die moderne Großstadt wird zum Schmelztiegel der Rassen, Völker, Religionen und Kulturen. Sie ist die soziale Realität des religionslosen, rationalen und pluralistischen Zeitalters. Die traditionellen Kirchen haben bisher noch keine Einstellung auf die Herausforderungen der modernen Großstadt gefunden. Sie übertragen meistens die Verhältnisse des Stammes und des Dorfes auf die Stadt. Will das Christentum sich auf die Stadt einstellen, dann sind fundamentale Transformationen notwendig: die Kirche muß sich dynamisch als freiwillige Avantgarde des Reiches Gottes verstehen, die Theologie muß zur Theologie des sozialen Wandels werden, der christliche Glaube muß Kräfte des kulturellen Exorzismus entfalten: In der Anonymität der Großstadt gibt nur persönlicher Glaube die Gewißheit eigener Identität. Durch prophetische Verkündigung befreit das Evangelium Menschen von den neuen Göttern und Dämonen des Konsums und der Politik. Durch christliche Gemeinschaften heilt die Kirche die sozial Verwundeten und Kranken. Die neue „politische Theologie" nahm diese Ansätze auf. Mit zwei Grundgedanken ging sie auf die säkulare Welt ein:

1. Die Erkenntnis der radikalen Weltlichkeit der Welt ist nichts anderes als die Einsicht in ihre Geschichtlichkeit. Erfahren moderne Menschen die Wirklichkeit nicht mehr im Rhythmus der Natur, sondern als offene Geschichte, dann gibt nur die Hoffnung auf ihre Zukunft den Sinn, um diese Geschichte zu erleiden und zu schaffen. Die Zukunft der Geschichte wurde christlich immer im Symbol des Reiches Gottes erfaßt. In diesem eschatologischen Horizont stehen sich Kirche und Welt nicht mehr gegenüber, sondern sind auf einem gemeinsamen Weg begriffen. Die neuzeitliche Zukunftsorientierung ist im biblischen Verheißungsglauben begründet. Dieser wird in ihr säkular. Die moderne Welt fordert Glauben als Hoffnung und Theologie als Begründung der Zukunft (Eschatologie) heraus.

2. Mit der Erkenntnis der Geschichtlichkeit der Welt ist der neuzeitliche Primat der Praxis vor der Erkenntnis verbunden. Die sittliche und die politische Praxis verifiziert die Theorien, wie sie auch zu neuen Theorien anleitet. Die moderne Religionskritik fragte nicht mehr nach dem Wesen der Religion, sondern nur noch nach ihren praktischen, psychischen und politischen Funktionen. Theologie unter den Bedingungen der modernen Welt kann darum nicht länger reine Theorie sein, sie muß zur praktischen Theorie werden. Sie ist notwendig „politische Theologie": Reflexion der Praxis im Licht des Evangeliums – Praktischwerden des Glaubens im Einsatz für öffentliche Gerechtigkeit. Sowohl die eschatologische Orientierung wie die politische Situierung der Theologie führen nicht nur in das säkulare Zeitalter hinein, sondern auch über die Grenzen der bürgerlichen Religion dieses Zeitalters hinaus.

3. Die „Dritte Welt" und die Theologie der Befreiung

Die Befreiung der Völker vom europäischen Kolonialismus nach dem Zweiten Weltkrieg hat ihnen, abgesehen von China, keine Befreiung vom wirtschaftlichen Imperialismus der Industrieländer gebracht. In der Zeit von 1956–1966 glaubte man, die Unterentwicklung der Völker der „Dritten Welt" durch Entwicklungspolitik und Entwicklungshilfe überwinden zu können. Obgleich die *Idee der Entwicklung* noch heute in Politik und Kirche vorherrscht, hat sie sich schon 1968 auf der lateinamerikanischen Bischofskonferenz in Medellin als Illusion erwiesen. Die Differenz zwischen der „Ersten" und der „Dritten Welt" wächst, die Unterentwicklung stellt sich als „Herunterentwicklung" dar, Abhängigkeit und Verschuldung der Völker der „Dritten Welt" steigen ohne Grenzen. Um die reale Situation besser zu begreifen, wurde die Entwicklungsideologie durch die *Dependenztheorie* ersetzt. Sie ist die Umkehrung der Leninschen Imperialismustheorie und beweist, daß die Gesamtentwicklung der Welt immer den Zentren und Metropolen der Macht zugute kommt, während die armen Völker immer weiter marginalisiert werden. Durch arbeitsteilige Weltwirtschaft werden in jenen Ländern Monokulturen für den Weltmarkt erzwungen, durch die die einheimischen Subsistenzwirtschaften zerstört werden. Die modernen Massenstädte lassen das Land verarmen und kulturell veröden. In der „Dritten Welt" entsteht heute das Proletariat der Weltgesellschaft.

Nachdem die christlichen Kirchen eine Zeitlang nach einer „Theologie der Entwicklung" und einer entsprechenden Ethik gesucht hatten, entstand vor allem in Lateinamerika zuerst eine „Theologie der Revolution", dann die „Theologie der Befreiung", die ihre Situationsanalyse von der Dependenztheorie nimmt, um die Kirchen und die Völker in den Kampf um Befreiung von dieser Unterdrückung hineinzuführen. Ihre Grundideen stammen zum Teil aus der europäischen Theologie der Hoffnung und der politischen Theologie, ihre Ausgangsbedingungen sind jedoch andere, weil sie in der Situation des armen, unterdrückten Volkes der „Dritten Welt" liegen. Theologie ist hier radikal die kritische Reflexion der Praxis im Licht des Evangeliums. „Praxis" ist zunächst die Erfahrung des gelebten Lebens, in diesem Fall die Erfahrung der Armut, der Ausbeutung und der brutalen Unterdrückung des Volkes. Kritische Theologie will darum zuerst den Sitz der Kirche im Leben des Volkes aufdecken: ist sie eine Macht der Repression und ein Komplize der Herrschaft, oder ist sie die Heimat der Armen und eine Kraft ihrer Befreiung? Die Macht- und Klassenkämpfe in Lateinamerika zeigen, wie sehr diese Frage die Kirchen selbst spaltet in eine Kirche der Herrschenden und eine Kirche des Volkes. Reflektiert die Theologie die Existenz der Kirche im Licht des Evangeliums Jesu vom Reich Gottes für die Armen, dann muß sie zu einer gesellschaftskritischen und kirchenkritischen Theologie werden. Sie kann die Welt nicht nur anders interpretieren, sie muß sie verändern wollen. Darum führt sie mit innerer Notwendigkeit zu einer neuen Praxis: zur Befreiung der Unterdrückten. Die „Theologie der Befreiung" ist im Blick auf die traditionelle Theologie nicht nur eine andere Theologie, sondern eine andere Art, Theologie zu treiben. Sie ist eine eminent praktische Theorie: Zuerst kommt die Orthopraxie, dann die Orthodoxie. Zuerst kommt das geschichtliche Engagement für die Befreiung der Erniedrigten, dann kommt die theologische Reflexion. Darum versteht sich die theologische Theorie selbst als ein Moment im Kampf um Befreiung, der die Welt verändert. Ihr Ziel ist die Schöpfung einer gerechten und solidarischen Gesellschaft, die ein geschichtliches Gleichnis des kommenden göttlichen Reiches der Gerechtigkeit und des Friedens sein soll.

Die vor allem in Lateinamerika entwickelte „Theologie der Befreiung" hat seit 1968 immer weitere Kreise ergriffen. Ihre Aktion-Reflexion-Methode wurde von der „schwarzen Theologie" in den USA (James Cone) und in Südafrika (Alan Boesak) ebenso aufgenommen wie von der „feministischen Theologie" (Rosemary Ruether). Wo immer sich Klassen, Rassen, Geschlechter oder einzelne Gruppen in dieser Gesellschaft ihrer Unterwerfung, Erniedrigung und Ausbeutung bewußt werden, bietet sich die Methode der Befreiungstheologie als Weg in eine bessere Zukunft an. Die Ausbeutung der Armen, die Erniedrigung der Farbigen, die Unterdrückung der Frauen, die Verdrängung der Behinderten bilden in vielen Teilen der Welt einen

Teufelskreis der Unmenschlichkeit, der Millionen in Elend und Tod treibt.

Die *feministische Befreiungstheologie* verdient besondere Aufmerksamkeit, weil die Unterdrückung der Frau in den Kulturen andauert, die aus der Verdrängung des frühen Matriarchats durch das aggressive Patriarchat entstanden sind. Dazu gehören alle sogenannten Hochkulturen und Weltreligionen, die wir kennen. Das Alte Testament ist ein sprechendes Zeugnis für die Ablösung kanaanäischer Fruchtbarkeitskulte durch die jahwistische Religion der Väter. Auch das antike kirchliche Christentum ist ein religiöses Zeugnis für die Vorherrschaft des Mannes, obgleich beide, Männer und Frauen gleichermaßen getauft wurden. In der heute beginnenden feministischen Theologie der Befreiung kündigt sich eine weitreichende und in den Folgen noch unabsehbare Kulturrevolution an. Es ist durchaus die Frage, ob und inwieweit eine solche Theologie der Befreiung der Frau an biblische und christliche Traditionen anknüpfen kann oder, wo das nicht gelingt, zu einer Loslösung vom Christentum überhaupt führen wird. Die Befreiung und Achtung der Frauen durch Jesus selbst ist die stärkste Motivation für eine christliche Emanzipation der Frau. Feministische Theologie beschäftigt sich nicht nur mit der Befreiung der Frau von der religiös sanktionierten Superiorität des Mannes, sondern auch mit der Befreiung des Leibes von der Superiorität der Seele und mit der Befreiung der Natur von der Ausbeutung durch den Menschen. Wo feministische Theologie gelingt, führt sie darum mit der Befreiung der Frau auch zu einer neuen Annahme der menschlichen Leiblichkeit und zu einer neuen Gemeinschaft mit der natürlichen Umwelt. Wie die lateinamerikanische Theologie der Befreiung hat auch sie die Tendenz zur universalen Befreiung in sich. Im Grunde sind alle partikular ansetzenden Befreiungstheologien auf die „menschliche Emanzipation des Menschen" ausgerichtet; sie wären sonst keine Theologien.

Es bleiben gleichwohl Fragen offen: Führt diese neue Funktionalisierung der Theologie in den „Befreiungstheologien" nicht zu einer Vernachlässigung der Inhalte der Theologie? Wir finden zwar eine neue Art, Theologie zu treiben, aber bisher nur wenige neue theologische Erkenntnisse. Verlangt der Primat der Praxis vor der Theorie eine neue christliche Gesinnungsethik, die den christlichen Glauben ideologisiert? Trotz dieser kritischen Fragen bleibt festzuhalten, daß *christlicher* Glaube wesensgemäß messianischer Glaube, messianischer Glaube aber stets *befreiender* Glaube ist. Die „Theologie der Befreiung" ist trotz allen ideologischen Anleihen *christliche Theologie*.

4. Christliche Theologie der Neuzeit

Die Theologien des Mittelalters waren, pauschal gesprochen, durchweg Theologien der *Liebe*. Die Theologien der Reformatoren Luther, Zwingli und Calvin waren dezidiert Theologien des *Glaubens*. Die Grundfrage aber der Neuzeit ist die Frage nach der Zukunft. Darum muß die christliche Theologie der Neuzeit notwendig eine Theologie der Zukunft sein. Auf die Frage: Was kann ich wissen? antwortet nach *Kant* die reine Vernunft. Auf die Frage: Was soll ich tun? antwortet die praktische Vernunft. Auf die dritte Frage: *Was darf ich hoffen?* soll die *Religion* antworten. Um aber diese Frage nach der Hoffnung zu beantworten, muß die christliche Theologie von der Eschatologie (Lehre von den letzten Dingen) her entworfen werden. Aus der traditionellen Lehre von der Rettung der Seele in einen jenseitigen Himmel muß die Lehre von der Himmel und Erde erneuernden Zukunft des Reiches Gottes werden. Die traditionelle Jenseitshoffnung muß um die Hoffnung auf Verwandlung und Erneuerung der Erde ergänzt werden. Aus der Haltung des passiven Abwartens muß die schöpferische Hoffnung werden, die jetzt schon vorwegnimmt, was morgen sein wird. Es werden die leiblichen und materiellen Komponenten der christlichen Auferstehungshoffnung wiederentdeckt. Es werden auch die kosmischen Dimensionen der Hoffnung auf die neue Schöpfung wieder entfaltet. Erst dann wird die Kritik der Gegenwart und ihre Transformation möglich:

Im 19. Jahrhundert war die Hoffnung der Menschen weitgehend vom *Fortschrittsglauben* besetzt. Er wurde von den meisten Bewegungen in Wissenschaft und Kultur als selbstverständlich vorausgesetzt. Nach den Katastrophen des 20. Jahrhunderts ist dieser säkulare Glaube tief erschüttert und vielfach in sein Ge-

genteil verkehrt: Weltuntergangsstimmungen breiten sich aus. Es ist heute die Aufgabe der Theologie, die befreiende Hoffnung so zu formulieren, daß sie weder im immanenten Fortschrittsglauben aufgeht noch in apokalyptischer Angst vor der Zukunft verkommt. Die christliche Hoffnung auf das Reich Gottes stützt und mobilisiert alle innerweltlichen Hoffnungen auf mehr Freiheit und bessere Gerechtigkeit, sie kritisiert aber auch die Hybris der Menschen in ihnen. Darum widersteht sie auch der modernen Verkehrung der Hoffnung in Resignation. Jenseits von Hybris und Resignation gewährt die Hoffnung auf Gott den langen Atem der Geduld in der Geschichte und die Kraft zur Wiedergeburt aus jeder Niederlage. Die neue Zukunftsorientierung der Theologie hat sich in den christlich-marxistischen Dialogen wie im Dialog mit modernen Geschichtstheorien und mit den Theorien der modernen Naturwissenschaften bewährt.

Theologie in der Neuzeit wird notwendig eine *Theologie der Freiheit* sein. Die moderne Welt ist aus Befreiungsbewegungen entstanden und ist weiter in solchen Bewegungen begriffen. Weil Kirche und Theologie zu lange an dem traditionellen „autoritären Prinzip" festhielten, verbanden sich viele Freiheitsbewegungen mit dem Atheismus. Will die christliche Theologie den *modernen Atheismus* überwinden, dann muß sie zuerst seinen Anstoß überwinden und beweisen, daß der biblische Gott des Exodus des Volkes und der Auferstehung Christi die *Freiheit des Menschen* nicht behindert, sondern viel mehr begründet, bewahrt und verteidigt. Ein Christentum, das auf diesen biblischen Freiheitstraditionen gründete, würde tatsächlich zur „Religion der Freiheit" (Hegel). Es wird aber den alten theokratischen Theismus und das durch ihn legitimierte autoritäre Prinzip in der Kirche überwinden müssen. Erst dann wäre die christliche „Religion der Freiheit" auch in der Lage, die Perversionen der Freiheit in der modernen Welt – Anarchie und Despotie – überzeugend zu bekämpfen und sie zu überwinden. Solange jedoch Gottesglaube und kirchliche Autorität Menschen in kindlicher Unmündigkeit und Unverantwortlichkeit halten, wird jede Kritik der Theologie an der modernen Freiheitsgeschichte unglaubwürdig.

Zu den Freiheiten, die von der Theologie erkannt und begründet werden müssen, gehören 1. *Religionsfreiheit:* Es war ein großer Schritt nach vorn, als die katholische Kirche im Zweiten Vatikanum die Religionsfreiheit ausdrücklich anerkannte, die sie früher verworfen hatte. 2. *Glaubensfreiheit:* Der moderne Mensch glaubt auf Grund eigenen Hörens auf das Evangelium und eigener Entscheidung, nicht auf Grund unfreiwilliger Zugehörigkeit zu einer Kirche, sosehr er die Vermittlung des Evangeliums der Kirche verdankt und sich in die umfassendere Gemeinde der Glaubenden stellt. Im persönlichen Glauben sucht und findet er seine innere Identität, die ihn von sozialen und politischen Zwängen befreit. 3. *Gewissensfreiheit:* der mündige Mensch ist für sein Leben selbst verantwortlich. Darum muß er nach seinem Gewissen handeln. Die Kirchen können die Gewissen der Menschen schärfen, aber keinem Menschen die Gewissensentscheidung abnehmen und für ihn entscheiden. 4. *Gemeindefreiheit:* in der modernen Gesellschaft können sich die Kirchen nicht mehr als große Institutionen, sie müssen sich in Gemeinden des Volkes organisieren. Kirchen sind nur so lebendig, wie die Gemeinde lebendig ist. Die Zukunft der Kirche liegt in der Gemeinde, in der alle Glieder mit ihren Fähigkeiten und Möglichkeiten das universale Priestertum der Gläubigen wahrnehmen. Das besondere Amt des Priesters oder des Pastors ist in die Gemeinschaft der Glaubenden eingebettet. In den heute entstehenden freiwilligen Gemeinden und in den Basisgemeinden hören klerikaler Theismus und laizistischer Atheismus auf. 5. *Freiheit der Theologie:* Theologie ist die gemeinsame Aufgabe der ganzen Christenheit, nicht nur besondere Aufgabe von ausgebildeten Spezialisten. Christliche Theologie geschieht immer in Verantwortung für die Kirche. Sie darf aber nicht den jeweils in der Kirche herrschenden Kräften unterworfen werden. Christliche Theologie geschieht auch in Verantwortung für die Menschen in der Welt. Sie darf sich aber nicht den jeweiligen Ideologien der Gesellschaft ausliefern. Die Freiheit der Theologie in ihrer Verantwortung für die Kirche und für die Welt ist die Voraussetzung dafür, daß sie die Probleme dieses Zeitalters selbständig aufnimmt und aus eigener Kraft zu ihrer Lösung beiträgt.

4.
Auf der Suche nach christlicher Identität

Solange die Kirche im *Corpus Christianum* zu Hause war, war ihre christliche Identität nicht fraglich, sondern selbstverständlich. Sie genoß allgemeine Anerkennung auf religiöser und moralischer, auf sozialer und politischer Ebene. In der Einheitskultur der mittelalterlichen katholischen Welt und in der Einheitskultur der bürgerlichen protestantischen Welt war die Kirche ein integrierter Bestandteil einer historischen Gestalt des Christentums. Unter „Christentum" verstehen wir solche Kultursynthesen aus Kirche und Staat, Glaube und Religion, Theologie und Philosophie. Sie prägen das Leben in bestimmten Epochen und bestimmten Regionen: Wenn ihre Formen obsolet werden, weil sie den Herausforderungen der Zukunft nicht mehr gewachsen sind, zerfallen sie. Die christliche Identität dieser Kultursynthesen wird dann fragwürdig. Es muß neu nach dem Ursprung und der Wahrheit des christlichen Glaubens gefragt werden. Seit Beginn der Neuzeit verborgen, öffentlich aber seit der Französischen Revolution ist das Christentum in Europa, es sei katholisch oder evangelisch, in eine solche Identitätskrise geraten, die das Ende des Corpus Christianum anzeigt. Sie wurde lange Zeit nur undeutlich gespürt und meistens verdrängt. Aber die Verdrängungen dieser Identitätskrise waren selbst ein Zeichen für sie und keine Lösungen. Sie führten zur Erstarrung der Formen und zum Ersterben des Inhaltes christlichen Lebens. Wir nennen hier nur einige typische Reaktionen: Auf die Verdrängung der Kirche aus dem öffentlichen Leben in der Neuzeit hat die Kirche oft mit der Verkirchlichung des christlichen Lebens und der Klerikalisierung der Kirche geantwortet und die christliche Existenz ins soziale Getto geführt. Sie hat die Gottlosigkeit der modernen Welt beklagt und sich auf den treuen Rest, die kleine Herde beschränkt. Die Kirche wurde nach Meinung vieler Zeitgenossen aus der herrschenden Religion des christlichen Abendlandes zu einer Sekte am Rande der modernen Gesellschaft. Symptome der Sektenmentalität in den Kirchen sind heute eine Traditionsbewahrung ohne Stiftung neuer Traditionen, ein rigoroser Biblizismus ohne die befreiende Predigt des Evangeliums und ein intolerantes und ängstliches Gebaren bei innerkirchlichen Auseinandersetzungen. Man kann die christliche Identität dann nur noch im Gegensatz zur „Welt" formulieren. Es breitet sich das Freund-Feind-Denken zwischen „Kirche" und „Welt" aus. Christliche Identität ist nicht mehr eine offene, einladende, sondern eine ängstlich-aggressive Identität. In gewissen christlichen Gruppen wird diese aggressive christliche Identität zur apokalyptischen Scheidung der Gerechten von den Gottlosen gesteigert, in der sich das Ende der Welt überhaupt, der apokalyptische „Harmagedon", ankündigen soll. Auf die Verdrängung der traditionellen Theologie aus der wissenschaftlichen Diskussion und dem öffentlichen Kulturgespräch haben Theologen oft ähnlich reagiert: Sie haben sich auf ihre eigenen Traditionen zurückgezogen und diese mit orthodoxem Eifer rein zu erhalten versucht. Sie haben die notwendigen Innovationen versäumt. Darum wird die moderne Theologiegeschichte von so vielen Repristinationen der Vergangenheit beherrscht: Neothomismus, Neocalvinismus, Neoorthodoxie, Augustinrenaissance, Lutherrenaissance, Thomasrenaissance u. a. m. Gewiß enthalten diese Traditionen noch ungeahnte Schätze, aber sind sie den Herausforderungen unserer Zeit gewachsen?

Anders geartet ist dagegen die Suche nach dem ursprünglichen und unterscheidbar Christlichen. Mit ihr begibt man sich auf den Weg *ad fontes.* Dieser Weg ist mit dem Willen zur *Reform* der Kirche und der Theologie und zur *Erneuerung* der christlichen Existenz aus der Wahrheit ihres Ursprungs verbunden, um zu einem authentischen Zeugnis in der Gegenwart zu kommen.

In der *katholischen Theologie* begann dieser Weg unter dem Pontifikat Leos XIII. Um die Jahrhundertwende entstand die katholische „Wissenschaft". Aus den erstarrten Glaubensformeln der Gegenwart ging man zurück zu den lebendigen theologischen Traditionen des Mittelalters und der Patristik und stellte sich ihnen unvoreingenommen mittels der Methoden moderner historischer Forschung. Durch diese christlichen Traditionen hindurch stieß man auf die Bibel selbst. Es entstand die erste wissenschaftliche, historisch-kritische Exegese in der katholischen Kirche (A. Loisy, M.-L. Lagrange, Duchesne u. a.). Zwar führte die Anwendung moderner historisch-kritischer Methoden auch zu Ergebnissen, die geeignet waren, die kirchliche Tradition und die gegenwärtige Kirchenlehre in Frage zu stellen. Es entstand die „modernistische Krise", gegen die Pius X. 1907 lehramtlich durch den „Antimodernisteneid" vorging, ohne sie jedoch zu lösen. Gleichwohl kam es zum Aufschwung der wissenschaftlich-historischen Theologie. Mit ihr zusammen entstand eine reformerische katholische Bibelbewegung. Der Geist der Erneuerung der Kirche und der Theologie aus der Wahrheit ihres Ursprungs setzte sich dann im Zweiten Vatikanum durch. Damit wurde auch die defensive Mentalität, die der modernistischen Krise folgte, in der katholischen Kirche überwunden. Die Bibelwissenschaften fanden jenen Platz, der ihnen im Blick auf die Wahrheit des Ursprungs der christlichen Theologie gebührt. Durch sie kam die katholische Theologie in die ökumenische Gemeinschaft mit der evangelischen und der orthodoxen Theologie, denn je näher eine Theologie der Wahrheit ihres Ursprungs kommt, desto ökumenischer wird sie. Die katholische Bibelwissenschaft hat ihren Rang in der ökumenischen Bibelwissenschaft gefunden. Auch wenn sie in der katholischen Kirche noch nicht die gleiche grundlegende Bedeutung für die dogmatische Theologie besitzt wie in der evangelischen Kirche, so soll doch, nach einem Wort des Konzils, das Studium der Schrift die Seele der ganzen Theologie sein.

In der evangelischen Theologie liegen die Dinge anders, weil die Bibelwissenschaften als historisch-kritische Erforschung der Ursprungsschriften des christlichen Glaubens schon etwa 100 Jahre früher begannen. Das zentrale Problem war hier nicht das Verhältnis von Bibel und kirchlicher Tradition, sondern das Verhältnis von Christus und Bibel. Die historisch-kritische Erforschung der Bibel wurde seit *Reimarus* und *Semler* (1778, 1779) von dem Interesse geleitet, Jesus selbst zu erkennen und ihn als den zu verstehen, der er wirklich war. Die historische Erforschung des Lebens Jesu führte zur Befreiung der historischen Gestalt Jesu vom Christusdogma und zur Befreiung des Glaubens vom Dogma. Das Christusdogma von Chalcedon mußte erschüttert werden, damit man den historischen Jesus suchen konnte, und nur durch die Suche nach dem wirklichen, historischen Jesus konnte man das Christusdogma erschüttern. Man suchte den historischen Jesus, um ihm selbst in seiner wirklichen Persönlichkeit zu begegnen und das ursprüngliche und unterscheidbar Christliche zu erkennen. Denn Jesus selbst ist der Ursprung und die Identität des Christlichen. *Albert Schweitzer* hat die „Geschichte der Leben-Jesu-Forschung" (1906) klassisch dargestellt: „Sie ist eine einzigartig große Wahrhaftigkeitstat, eines der bedeutendsten Ereignisse in dem gesamten Geistesleben der Menschheit". Ihr Resultat ist jedoch zweideutig: Man war ausgezogen, um den historischen Jesus zu finden, und meinte, man könne ihn dann so, wie er wirklich ist, als Lehrer und Heiland in unsere Zeit hineinstellen. Die historisch-kritische Forschung löste die Bande, mit denen er seit Jahrhunderten an den Felsen der Kirchenlehre gefesselt war und freute sich, als sie den historischen Menschen Jesus auf sich zukommen sah: „Aber er blieb nicht stehen, sondern ging an unserer Zeit vorüber und kehrte in die seinige zurück." Die historisch-kritische Forschung deckte nämlich die Fremdartigkeit Jesu gegenüber unserer Zeit und unseren kulturellen Wünschen auf, als sie die eschatologische Botschaft vom bald in die menschliche Welt einbrechenden Reich Gottes als Zentrum seiner ganzen historischen Existenz erkannte. Verstand Jesus sich selbst ganz von dieser Gottesbotschaft her, dann liegt schon in ihm selbst der Ursprung zur kirchlichen Christologie: wahrer Mensch und wahrer Gott.

Die historische Erforschung des Lebens Jesu führte zuletzt auch nicht zu einer humanistischen Alternative zur Christusverkündigung der Kirche, sondern brachte diese auf ihren Ursprung und ihr inneres Wahrheitskriterium zurück: Der verkündigte Christus ist Jesus von Nazareth. Was als „christlich" gelten soll, muß sich darum an Jesus selbst und seiner Botschaft ausweisen. Jesus selbst und kein anderer ist als Ursprung auch das Prinzip aller christlichen Theologie. Er ist das Kriterium zur Unterscheidung der Geister. Er ist der „Kanon im Kanon", das innere Unterscheidungsprinzip im Neuen Testament. Je mehr die evangelische Bibelwissenschaft diesem Prinzip folgte und die reformatorische Devise „sola scriptura" als äußere Repräsentation des wahrhaft christlichen Prinzips „solus Christus" verstand, wirkte sie auf die katholische und die beginnende orthodoxe Bibelwissenschaft ein und wurde selbst ökumenisch. Der Weg *ad fontes* führte auf katholischer Seite zur Entdeckung der *Bibel* als Ursprung und Kriterium der kirchlichen Tradition. Er führte auf protestantischer Seite zur Entdeckung *Jesu* als Ursprung und Kriterium der neutestamentlichen Traditionen. Von beiden Entdeckungen gehen diejenigen Reformen von Theologie und Kirche aus, die in unserem Jahrhundert die authentische christliche Identität erkennbar machen. Die Wiederentdeckung der Bibel hat mit besonderer Vehemenz das *Alte Testament* in den Vordergrund gebracht. Wir berichten darum zuerst von der Bedeutung der neuen christlichen „Theologie des Alten Testamentes" für Theologie und Kirche. Die historische Erforschung des Neuen Testaments hat die *christologische Frage* neu eröffnet. Wir stellen darum zweitens diese Diskussion dar.

1. Die Bedeutung des Alten Testaments

Das Christentum ist historisch gesehen aus dem Judentum hervorgegangen. Das Neue Testament setzt das Alte Testament voraus. In der theologischen Bestimmung des Verhältnisses des Neuen Testamentes zum Alten Testament und der Bedeutung des Alten Testamentes für die Kirche wird darum über nichts Geringeres als über die christliche Identität im Verhältnis zum Judentum entschieden. Warum bewahrt die christliche Kirche die Hebräische Bibel Israels als ihr „Altes Testament" auf, und mit welchen Augen lesen Christen das Alte Testament? Der liberale protestantische Theologe *Adolf von Harnack* behauptete 1923: „Das Alte Testament im 2. Jahrhundert zu verwerfen, war ein Fehler, den die große Kirche mit Recht abgelehnt hat, es im 16. Jahrhundert beizubehalten, war ein Schicksal, dem sich die Reformation noch nicht zu entziehen vermochte; es aber seit dem 19. Jahrhundert als kanonische Urkunde im Protestantismus noch zu konservieren, ist die Folge einer religiösen und kirchlichen Lähmung." Er machte damit nur die Verlegenheit der christlichen Kirche und Theologie vor dem Alten Testament offenbar. Gehört das Alte Testament theologisch notwendig oder nur historisch zufällig zum Kanon? Hat es eine eigene Botschaft für die Kirche Christi? Was bedeutet es für das Verhältnis der Kirche zur Synagoge und zu Israel? Die christliche Theologie hat eine Reihe divergierender Standpunkte im Blick auf das Alte Testament entwickelt:

a) der Standpunkt der religiösen Gleichgültigkeit

Von ihm aus betrachtet sind Judentum und Heidentum für das Christentum fremde Religionen. Als „Erlösungsreligion" spricht die Kirche jeden Menschen an, ob er nun Jude oder Heide ist, denn in ihrer Erlösungsbedürftigkeit sind alle Menschen gleich. Es gäbe die christliche Erlösungsreligion auch, wenn es Israel nie gegeben hätte, und es gäbe sie auch dann, wenn es keine Juden mehr gäbe. Das Alte Testament ist nur historisch-zufällig mit dem Neuen Testament verbunden. Seit der Erlöser Christus erschienen ist, hat es nichts Besonderes mehr zu sagen. Diesen Standpunkt vertrat der einflußreiche evangelische Theologe *Friedrich Schleiermacher* in seiner wirkungsmächtigen „Glaubenslehre" § 12: „Das Christentum steht zwar in einem besonderen geschichtlichen Zusammenhang mit dem Judentum, aber was sein geschichtliches Dasein und seine Abzweckung betrifft, so verhält es sich zu Judentum und Heidentum gleich." Ist aber das Alte Testament nur das Glaubensbuch einer jüdischen Religion, dann ist nicht einzusehen, warum die christliche Kirche es beibehält und es nicht etwa gegen die religiösen Schriften anderer Völker eintauscht, in denen sie heimisch wird. Erst als die sog. „Deutschen Christen" unter Hitler das Alte Testament durch die germanischen Heldensagen der Edda ersetzen wollten, wurde vielen Theologen die unersetzliche Bedeutung des Alten Testamentes für den christlichen Glauben und die christliche Theologie klar.

b) Der Standpunkt des heilsnotwendigen Kontrastes

Von ihm aus gesehen ist das Christentum aus dem grundsätzlichen Widerspruch gegen das Judentum entstanden und besteht weiterhin in diesem Widerspruch: Das Alte Testament offenbart das Gesetz Gottes – das Neue Testament das Evangelium Gottes; das Alte Testament lehrt das Gesetz der Vergeltung – das

Neue Testament den Geist der Liebe; das Alte Testament gilt nur dem auserwählten Volk der Juden – das Neue Testament ist für alle Menschen offen. Altes und Neues Testament, Israel und Kirche werden im Widerspruch zueinander gesehen, doch soll dieser Widerspruch notwendig sein, damit das Neue des Neuen Testamentes und das Besondere der Kirche erkennbar werden. Dieser Standpunkt wird oft von Theologen der lutherischen Tradition vertreten. Zuletzt hat der Neutestamentler *Rudolf Bultmann* die im Alten Testament bezeugte Geschichte Israels eine „Geschichte des Scheiterns" dieses Volkes an Gott, seinem Gesetz und seiner Erwählung genannt, um den rechtfertigenden Christusglauben positiv hervorzuheben: „Der Glaube bedarf, um seiner selbst sicher zu sein, des Wissens um den Sinn des Gesetzes, er würde sonst der Verführung durch das Gesetz erliegen ... Die Situation des Gerechtfertigten erhebt sich nur auf dem Grunde des Scheiterns." Das aber bedeutet nichts anderes, als daß der christliche Glaube die Erinnerung an das Gesetz Gottes nur als eine negative Folie braucht und die Geschichten des Alten Testamentes als abschreckendes Beispiel aufbewahrt, um sich seiner selbst zu versichern. Die christliche Theologie entwickelt von diesem Standpunkt aus eine Theologie des Alten Testamentes als eine negative Theologie, um sich selbst in das rechte Licht zu setzen. Leider ist diese Kontrastierung des Christentums zum Judentum durch Volkspredigten weit verbreitet worden: hier der barmherzige Samariter – dort der selbstgerechte Pharisäer; hier die sehende Kirche – dort die blinde Synagoge.

c) Der Standpunkt der heilsgeschichtlichen Beerbung

Von diesem Standpunkt aus geurteilt, ist die Geschichte Israels nur die „Vorgeschichte" des Christentums und das Alte Testament eine „Vorstufe" zum Neuen Testament. Das Volk Israel diente der heilsgeschichtlichen Vorbereitung für das Kommen der Völkerkirche. Seit dem Kommen Christi ist die Kirche an die Stelle Israels getreten, denn im Neuen Testament findet man die Erfüllung des Alten Testamentes. „Die Kirche gründet zwar in Israel als dem erwählten Gottesvolk, aber Israel mündet auch in die Kirche. Die Kirche ist jetzt das wahre Gottesvolk", erklärte der lutherische Theologe *Paul Althaus*. Ähnlich heißt es in der Erklärung des Zweiten Vatikanums zum „Verhältnis der Kirche zu den nichtchristlichen Religionen": „Die Kirche Christi anerkennt, daß nach dem Heilsgeheimnis Gottes die *Anfänge* ihres Glaubens und ihrer Erwählung sich schon bei den Patriarchen, bei Mose und den Propheten finden. Sie bekennt, daß in dem Auszug des erwählten Volkes aus dem Land der Knechtschaft das Heil der Kirche geheimnisvoll *vorgebildet* ist ... Sie glaubt, daß Christus Juden und Heiden durch das Kreuz versöhnt und beide in sich vereinigt hat." Diese Auffassung ist am weitesten verbreitet. Sie stellt das Christentum als Vollendung des Judentums und als seine Überwindung dar. Für sie hat das Judentum keinen eigenen Platz neben der Kirche in der Heilsgeschichte Gottes. Als das „Alte Testament" der Kirche hat die Tora ihre Bedeutung für Israel verloren.

d) Der Standpunkt der prophetischen Gemeinschaft

Von diesem Standpunkt aus erkennt man das Besondere und Eigene des Alten Testamentes in jenem „Überschuß" der Zukunftsverheißungen, die durch das Kommen Christi und die Erfahrung des Geistes noch nicht universal erfüllt, sondern erst prinzipiell in Kraft gesetzt worden sind. Es sind die Verheißungen des Reiches Gottes, das Himmel und Erde erneuert, des Reiches der Freiheit, das Frieden für die ganze Kreatur bringt. Das Neue Testament bekundet nicht die Erfüllung und nicht die Abschaffung dieser realen Zukunftsverheißungen des Alten Testamentes, sondern ihre Bestätigung durch Christus und ihre Ausweitung durch die Kirche auf alle Völker. Diese Auffassung hatte *Joachim di Fiore* schon im 12. Jahrhundert vertreten. Sie ist in der Tradition der *reformierten Theologie* lebendig: Das Alte Testament hat im Überschuß seiner Verheißungen einen „Mehrwert" gegenüber dem Neuen Testament. Durch die Botschaft des Neuen Testamentes werden Menschen aus allen Völkern in die Hoffnungen Israels hineingenommen. Die Zukunft des Neuen Testamentes ist dieselbe wie die Zukunft des Alten Testamentes: beide Testamente zielen auf das Reich Gottes. Erst mit dieser Auffassung wird das Alte Testament theologisch ernst genommen. Es wird auch die besondere Bedeutung der Synagoge und Israels neben der Kirche Christi anerkannt. Juden und Christen haben gemeinsam „ein Buch und eine Hoffnung" (Martin Buber).

Das Christentum gewinnt seine ursprüngliche Identität nicht durch die Verneinung, Verwerfung oder Beerbung des Judentums, sondern nur in der Gemeinschaft der Verheißungen Gottes und der Hoffnungen Israels. Die neuere „Theologie des Alten Testamentes" (G. v. Rad, W. Zimmerli u. a.) ist die Brücke zum gemeinsamen Ursprung und der Wegweiser in die gemeinsame Zukunft von Christen und Juden. Die Kirche der Völker liest die Tora Israels auch als Buch ihrer Hoffnung auf das Reich Gottes. Sie findet im Messias Jesus nach dem Zeugnis des Neuen Testamentes den Zugang zu dieser Hoffnung.

2. Die christologische Frage und das Neue Testament

Das Besondere des Christentums wird mit dem Namen Jesus Christus bezeichnet. Dieser Name klingt zwar wie ein Doppelname, ist aber in Wahrheit *ein* Name und *ein* Titel: Christus ist der Messias Gottes. Darum lautet die kritische theologische Rückfrage: ist *Jesus* wirklich der Christus? Ist der Messias Gottes in *Jesus* von Nazareth erschienen?

Die Kirche hat seit den ersten Bekenntnissen das Neue Testament als Beweis für ihr Christusdogma genommen: Jesus Christus ist Gottes eingeborener Sohn. Das Neue Testament wurde zur Grundlage für die kirchliche Lehre von Christus, der Christologie. Diese Christologie ist seit alters her jedoch *Christologie von oben*: Sie beginnt im Himmel, steigt dann mit der Inkarnation des Sohnes Gottes in die Geschichte Jesu von Nazareth herab, geht mit ihm, dem menschgewordenen Gottessohn, von Galiläa nach Jerusalem, sieht ihn am Kreuz auf Golgatha sterben, erlebt seine Auferstehung von den Toten am dritten Tage, sieht ihn zum Himmel auffahren und erwartet seine Wiederkunft zum jüngsten Gericht am Ende der Tage. Dieses christologische Schema des Abstiegs des Erlösers zur Erde und seines Aufstiegs zum Himmel ist ein alter religiöser, vorchristlicher Mythos. Er wurde schon früh (Phil. 2) auf den Weg Jesu von Gott zu den Menschen und von den Menschen zu Gott angewendet. Entspricht aber dieser christologische Mythos Jesus selbst?

Bis in die Neuzeit hinein fühlten und dachten Menschen metaphysisch: Die unvergängliche Existenz der Gottheit galt als sicher und fraglos, nur das vergängliche Wesen wurde als unsicher und fraglich erfahren. Ihre Christusfrage lautete nicht, ob Jesus Gott sei, sondern ob er wirklich und wahrhaftig Mensch sei.

Die „anthropologische Wende" im Denken der Neuzeit aber hat die Christusfrage umgekehrt: Nicht das Menschsein Jesu ist fraglich, sondern sein Gottsein. Man kann die Existenz Gottes im Himmel nicht mehr voraussetzen, um in Jesus von Nazareth den menschgewordenen Gottessohn zu erkennen. Man muß umgekehrt von dem Menschen Jesus von Nazareth ausgehen, um Gott zu erkennen. Christologie unter den Bedingungen des neuzeitlichen Denkens ist darum immer wieder und programmatisch *Christologie von unten*. Die Ansicht des Weges Jesu „von oben" kann nur der Standpunkt Gottes sein. Menschen aber leben „unten" auf der Erde und erkennen nur im Bereich ihrer eigenen Erfahrungsmöglichkeiten. Ihnen begegnet nicht der ewige Gottessohn im Himmel, sondern der Mensch Jesus von Nazareth. Aus seiner Gottesbotschaft und seinem Gottesverhältnis mag ihnen dann offenbar werden, wer Gott der Vater ist. Die alte „Christologie von oben" war immer Christologie vom „Gottmenschen" Christus: göttliche und menschliche Natur in einer Person. Die neuzeitliche Wendung zur „Christologie von unten" beginnt dagegen mit Jesus, dem „Menschen Gottes". Seine Göttlichkeit besteht in der steten Kräftigkeit seines Gottesbewußtseins. Seine sündlose Humanität ist der Ausweis seiner Göttlichkeit. Seine erlösende Wirkung besteht darin, daß er unser getrübtes Gottesbewußtsein stärkt (Friedrich Schleiermacher). Wir müssen also seine Menschlichkeit in seiner historischen Persönlichkeit auf uns wirken lassen, um das Sein Gottes in seinem einzigartigen Gottesbewußtsein zu erkennen (Wilhelm Hermann).

„Christologie von unten" ist immer Humanitätschristologie. Manche Richtungen dieser neuzeitlichen Christologie sahen die Humanität Jesu in seinem urbildlichen *religiösen Bewußtsein*. Sie folgten darin Schleiermacher. Andere betonten seine *vorbildliche Moral.* Sie folgten I. Kant und A. Ritschl. Heute wird gern Jesu exemplarisches *Menschsein* hervorgehoben: ganz an Gott und ganz an den Mitmenschen hingegeben ist Jesus der eigentlich Maßgebliche. In seiner Nachfolge kann der Mensch in der Welt von heute wahrhaft menschlich leben.

Setzt aber diese neuzeitliche anthropologische Christologie nicht die alte theologische Christologie voraus? Wie sollte eine Christologie „von unten" beginnen können, wenn sie nicht ein „oben" voraussetzen würde, das sie zu erreichen hofft? Warum sonst sollte neben Buddha, Sokrates und anderen großen Menschen in der Weltgeschichte ausgerechnet Jesus von Nazareth eine vorbildiche und maßgebliche Rolle für das wahre Menschsein des Menschen spielen, wenn er nicht mit göttlicher Autorität verkündet worden wäre? Die neuzeitliche *„Christologie von unten"* ist eine sinnvolle Korrektur jener alten *„Christologie von oben".* Sie kann jedoch nicht für sich allein existieren, ohne zu zerfallen. Jede „Christologie" setzt schon mit dem Christustitel Gott voraus, und zwar den Gott Israels, den Gott der Hoffnung. Darum haben wir zwar heute in der modernen Theologie die großen Fronten zwischen der theologischen „Christologie von oben", wie sie zuletzt von *K. Barth* und *K. Rahner* entfaltet wurde, und der anthropologischen „Christologie von unten", wie sie jüngst von *H. Küng* vertreten wurde. Trotz lehramtlicher Entscheidungen in dieser Frage handelt es sich in der Sache jedoch nicht um eine Alternative, sondern um einander ergänzende Perspektiven. Beide Christologien sind dialektisch aufeinander zu beziehen, sonst entstehen eine Christologie ohne Jesus und eine Jesulogie ohne Christus.

Gehen wir auf die neutestamentlichen Traditionen zurück, dann finden wir, daß die Geschichte Jesu Christi immer von zwei Seiten beleuchtet wird: sie wird im Licht seiner historischen Sendung erzählt, und sie wird im Licht seiner eschatologischen Auferstehung erinnert. Es sind nicht die metaphysischen Perspektiven „von oben" und „von unten", sondern die historischen Perspektiven der Hoffnung „nach vorn" und der Erinnerung „nach rückwärts": Die (synoptischen) Evangelien erzählen die Geschichte Jesu im Licht seiner messianischen Sendung und seiner Botschaft vom Reich Gottes. Sie stellen sein Leben als Konsequenz seiner Botschaft dar. Seine Sendung vollendet sich in seinem Leiden und Sterben am Kreuz auf Golgatha. Die apostolischen Briefe gehen demgegenüber von der Auferstehung Christi aus und verkündigen den im Geist gegenwärtigen Herrn. Nur gelegentlich, nämlich bei der eucharistischen Überlieferung, kommt Paulus auf den irdischen Jesus zurück. Natürlich erzählen auch die Evangelien die Geschichte der Sendung Jesu im Licht seiner Auferstehung, sonst wäre seine Geschichte niemals erzählt worden. Natürlich erinnert auch Paulus die Geschichte des auferstandenen Herrn im Licht seiner messianischen Sendung. Beide Perspektiven, nach vorn und nach rückwärts, ergänzen und korrigieren einander: es kann von dem auferstandenen Herrn nichts verkündet werden, was dem irdischen Jesus widerspricht: der irdische, gekreuzigte Jesus bleibt das einmalige Kriterium für jede Christusverkündigung, denn „Herr ist Jesus" und niemand anders. Es kann aber auch von dem irdischen Jesus nichts erzählt werden, was der Verkündigung des Auferstandenen und der Erfahrung seiner Gegenwart im Geist widerspricht: der auferstandene Herr bleibt die Voraussetzung für jede Erinnerung und Erzählung der Geschichte Jesu.

Der Punkt, an dem die Geschichte Jesu und die Verkündigung Christi koinzidieren, ist das *Kreuz* auf Golgatha. Im Licht seines Lebens ist sein Tod das Ende seiner messianischen Sendung. Im Licht seiner Auferstehung aber ist sein Tod sein wahrer Anfang und der Beginn des Reiches Gottes auf Erden. Darum hat die neuere Theologie gegenüber der alten *Christologie von oben* und der neuzeitlichen *Christologie von unten* zunehmend stärker das *Kreuz Jesu Christi* in das Zentrum der Christologie und der christlichen Theologie überhaupt gestellt: Im Kreuz Christi wird offenbar, wer der wahre Gott ist; im Kreuz Christi wird offenbar, wer der wirkliche Mensch ist. Im Gekreuzigten wird der Gott des Menschen und der Mensch Gottes zugleich erkannt. Christliche Theologie ist im Zentrum Kreuzestheologie. Das heißt: Jede Theologie muß daran geprüft werden, was sie dem Schrei des sterbenden Jesus antwortet: „Mein Gott, warum hast Du mich verlassen?" Die neuesten Entwicklungen in der Theologie haben mit der Christusfrage diese Gottesfrage Jesu an den Anfang des

Denkens gestellt. Sie haben damit auch die Gottesfrage der leidenden Menschen der Gegenwart aufgenommen.

Das ursprünglich und eigentlich unterscheidbar Christliche wird in allen christlichen Kirchen zu allen Zeiten mit dem Zeichen des Kreuzes markiert. Der gekreuzigte Christus, der durch seinen Tod erlöst und durch seinen Geist Menschen in seine Nachfolge ruft, ist der allein Maßgebliche im Christentum. In ihm identifiziert sich Gott mit den schuldigen und leidenden Menschen. In ihm finden Menschen ihre befreiende, wahre und gottentsprechende Identität.

Im heutigen Zerfall der Gewohnheiten und der Selbstverständlichkeiten der christlichen Welt wird die christliche Identität unsicher und fraglich. Christen und Kirchen sind auf das Ursprüngliche und Wesentliche ihres Glaubens zurückgeworfen. Auf dem Weg zur Wahrheit des Ursprungs entdecken sie aufs neue die *Bibel*: Dogmatische Theologie muß in *biblischer Theologie* begründet sein, wenn sie Antwort auf die Frage nach dem Ursprung und dem Wesen des Christentums geben will. Diese Notwendigkeit befreit die Theologie aus der kulturellen Umwelt des Milieukatholizismus und aus der protestantisch-bürgerlichen Welt, stellt sie auf eigene Füße und macht sie distinkt christlich und bestimmt kerygmatisch in ihren Aussagen. Im ursprünglichen und wesentlichen biblischen Zeugnis des christlichen Glaubens findet die Theologie den, der sie zur *christlichen Theologie* macht: Jesus, den Christus Gottes. Seine messianische Sendung, seine Hingabe zum Tod am Kreuz und seine Auferweckung in das neue, ewige Leben sind die Quellen für jede relevante christliche Existenz heute: Jesus Christus ist nicht ein Gegenstand der Theologie, sondern das einzige und alles bestimmende Subjekt jeder Theologie, die den Anspruch erhebt, christlich zu sein.

5.
Theologie im „ökumenischen Zeitalter"

Mit dem Zerfall des Römischen Reiches zerfiel auch die in ihm einheitlich organisierte Christenheit. 1054 trennten sich Ostkirche und Westkirche. Byzanz und Rom, Morgenland und Abendland gingen verschiedene Wege. In der Kirchenspaltung, die der Reformation im 16. Jahrhundert folgte, zerfiel dann auch die Einheit des christlichen Abendlands. Politisch begann das Zeitalter der Glaubenskriege, theologisch entstand das „konfessionelle Zeitalter". Europa gewann seinen politischen Frieden nach dem Dreißigjährigen Krieg nur durch die Entwicklung des modernen, konfessionell neutralen, säkularen Staates und durch die Entfaltung einer Kultur der religiösen Toleranz. Das „säkulare Zeitalter" löste durch die notwendige Trennung von Kirche und Staat die traditionellen Formen des *Corpus Christianum* auf. Dadurch wurden alle christlichen Kirchen in Europa genötigt, sich auf eigene Füße zu stellen und mehr und mehr miteinander zu kooperieren. Die historischen Antworten der Christenheit auf das Ende des alten *Corpus Christianum* und den Beginn des säkularen Zeitalters waren erstens die *Missionsbewegung* des 18. und 19. Jahrhunderts, die größte Missionsbewegung in der Geschichte der Christenheit überhaupt, und zweitens die *ökumenische Bewegung*, mit der nach der jahrhundertelangen Geschichte der Spaltungen und Trennungen ein neues Zeitalter der Zusammenarbeit, der Gemeinschaft und der Vereinigung der verschiedenen christlichen Kirchen begann. Missionsbewegung und ökumenische Bewegung sind zugleich entstanden und gehören zusammen. Durch beide wurden die Kirchen aus dem europäischen Provinzialismus und aus dem konfessionellen Partikularismus befreit und auf den Weg zu einer universalen Völkerkirche gebracht.

Der Eintritt der Kirchen in das „ökumenische Zeitalter" hat für die *kirchlichen Theologien* erhebliche Konsequenzen, die erst langsam bewußtgemacht werden. Die kirchlichen Theologien können jetzt nicht mehr nur dem Selbstverständnis der eigenen Konfession und der Abgrenzung von anderen Konfessionen dienen. Die bisherigen katholischen und die bisherigen protestantischen Theologien müssen sich als Wege zu einer gemeinsamen, christlichen Theologie verstehen. Im früheren „konfessionellen Zeitalter" diente die Theologie der Sicherung der jeweiligen konfessionellen Identität. Sie war darum immer auch „Kontroverstheologie" und stellte in den sog. „Unterscheidungslehren" das Trennende gegenüber den anderen Konfessionen heraus. Im

„ökumenischen Zeitalter" müssen diese verschiedenen kirchlichen Theologien nach dem Gemeinsamen fragen, um das notwendige Zusammenleben und die Zusammenarbeit der Kirchen zu ermöglichen. Das führt nicht zur Konfessionsvermischung oder zur theologischen Gleichgültigkeit gegenüber der Wahrheit, sondern zur Besinnung auf das Wesentliche. Die Frage nach der wahren Kirche tritt in den Vordergrund. Wie man nach der wahren Kirche in der eigenen Kirchengestalt fragt, so wird man nach ihr auch in allen anderen Kirchengestalten fragen müssen. In allen christlichen Kirchen ist trotz Spaltung und gegenseitiger Verdammung das Wissen um die Einheit der Kirche lebendig geblieben, solange Christus als der Eine Herr der Kirche bekannt wurde. Darum ist die Umkehr der Theologie vom konfessionellen Eigensinn zur ökumenischen Eintracht leichter gewesen, als viele erwartet hatten. Theologie ist heute in einem solchen Maße zur gemeinsamen Aufgabe aller christlichen Kirchen geworden, daß die konfessionelle Herkunft der verschiedenen Beiträge oft nicht mehr zu erkennen ist.

Wir stellen den Weg der Theologie im „ökumenischen Zeitalter" exemplarisch an dem Weg der ökumenischen Abteilung *„Faith and Order"* im Weltrat der Kirchen in Genf dar, die 1927 gegründet wurde. Die Bewegungen für Weltmission und die Bewegung für Praktisches Christentum waren schon vorher entstanden. Für die Zusammenarbeit der Kirchen in der Mission und in der Diakonie folgte man der einfachen Devise: „Lehre trennt, Dienst vereint". Die Praxis der Liebe, nicht die theologische Glaubenslehre schien das günstige Feld für Zusammenarbeit und Gemeinschaft zu sein. Es war darum ein Wagnis, 1927 diese Gemeinschaft auch im Bereich der theologischen Lehre und der Kirchenverfassung zu suchen. Die römisch-katholische Kirche lehnte zunächst die Mitarbeit ab. Nach über 50 Jahren gemeinsamer Arbeit kann man sagen, daß der Versuch gelungen ist. Katholische Theologen nehmen seit langem als Beobachter, als Berater und jetzt als Mitglieder teil. Orthodoxe Theologen sind in allen Gruppen vertreten. Ein erster Konsens in den wichtigen Fragen der Taufe, der Eucharistie und des kirchlichen Amtes wird heute vorgeschlagen.

Der theologische Weg begann auf den ersten Ökumenischen

Konferenzen mit dem Versuch einer *„vergleichenden Kirchen-lehre"* (Konferenz in Edinburgh 1937).

Man lernte sich gegenseitig kennen in der Hoffnung, ein besse-res Verständnis divergierender Ansichten über Glauben und Kir-chenverfassung werde zu einer Vertiefung des Wunsches nach Wiedervereinigung und zu entsprechenden offiziellen Beschlüs-sen der Kirchen führen. Das erste, überraschende Ergebnis war eine Art *„negativer Konsensus"*: man entdeckte, daß die traditio-nellen Unterscheidungslehren der Kirchen nicht notwendig als kirchentrennend angesehen werden müssen. Die besonderen Lehren der verschiedenen Kirchen müssen nicht exklusiv, sie können auch inklusiv formuliert werden. Sie müssen nicht zum Ausschluß der Anderen, sie können auch zur Ergänzung und Be-reicherung der Anderen führen. In diesem Stadium blieben die verschiedenen theologischen Traditionen erhalten, aber sie beka-men einen neuen, nicht mehr konfessionellen, sondern ökumeni-schen Stellenwert. Man fand keinen Grund mehr für die Trennung der Kirchen, aber man konnte den gemeinsamen Glauben noch nicht formulieren. Die gegenseitigen Lehrverur-teilungen des 16. Jahrhunderts wurden als nicht mehr zutreffend angesehen.

Die Weltkirchenkonferenz in Lund 1952 brachte eine Wende von der vergleichenden Kirchenlehre zur *christologischen Kir-chenlehre*: „Wir haben erkannt, daß wir keinen wirklichen Fort-schritt auf die Einheit hin machen können, wenn wir nur unsere verschiedenen Vorstellungen vom Wesen der Kirche und die Traditionen, denen sie eingefügt sind, miteinander vergleichen. Es hat sich vielmehr gezeigt, daß wir einander näherkommen, wenn wir Christus näherkommen. Deshalb müssen wir durch un-sere Spaltungen hindurch zu einem tieferen Verständnis des Ge-heimnisses der uns von Gott gegebenen Einheit Christi mit seiner Kirche hindurchdringen." Seitdem hat der ökumenische Weg aus den verschiedenen kirchlichen und theologischen Tra-ditionen zu der einen ursprünglichen Tradition des christlichen Glaubens geführt, die mit dem Namen Christi bezeichnet ist. Auf diesem Weg von den verzweigten Armen des Flusses zur einen gemeinsamen Quelle überschreiten die Kirchen ihre historischen Trennungen und entdecken ihre Gemeinschaft miteinander in der Einen Kirche Christi. Gerade die christologische Konzentration der theologischen Diskussionen hat zur Entdeckung der ökumenischen Gemeinschaft in der einen universalen Kirche geführt. Deren Einheit wird nicht in der Uniformität ihrer Glaubensvorstellungen und religiösen Sitten liegen, sondern in der eucharistischen Gemeinschaft aller Christen. Die Eucharistie war immer die Kraftquelle der Kirche gewesen. Eucharistische Gemeinschaft ist auch das Ziel jeder ökumenischen Gemeinschaft der Christen. Darum sind die 1981 allen Kirchen vorgelegten Dokumente über „Taufe", „Eucharistie" und „Amt" geeignet, jene positive theologische *Konvergenz* zu formulieren, die zur vollen eucharistischen Gemeinschaft führen wird.

Der Weg der ökumenischen Bewegung ist relativ klar erkennbar: er führte vom *Anathema* zum *Dialog.* Er führte weiter vom Dialog zur *Kooperation.* Er wird von der Kooperation zum *gemeinsamen Bekenntnis des Glaubens* führen. Die Entscheidung darüber kann nur ein allgemeines christliches *Konzil* treffen. Zwar gehört die Idee eines ökumenischen, allchristlichen Konzils und die Hoffnung, die ganze Christenheit werde dort mit einer Stimme sprechen, noch in den Bereich der Utopie, doch wirft diese ihr utopisches Licht voraus: die Kirchen beginnen heute schon, konziliar zu leben, d. h. in jene Gemeinschaft miteinander einzutreten, die zu einem solchen Konzil führt.

„Konziliar leben" ist kein Leben ohne Konflikte, sondern ein Leben, das die Konflikte wieder aufnimmt, die einst zur Trennung geführt haben, und an ihrer Lösung arbeitet. Konfliktlösung durch Trennung der streitenden Parteien kann vorübergehend dem Frieden dienen, ist aber keine Lösung des wirklichen Konfliktes. Zur Lösung der wirklichen Konflikte gehört es, daß man die Gemeinschaft wieder aufnimmt. Im „konziliaren Leben" sind die innerkatholischen oder innerprotestantischen Probleme zugleich auch gemeinsame, christliche Probleme. Jede Kirche nimmt an den inneren Problemen der andern Anteil. Das alte Prinzip der gegenseitigen konfessionellen Nichteinmischung wird also verlassen.

Die mit dem „konziliaren Leben" verbundene andere ökumenische Vision ist die Gemeinschaft der *„versöhnten Vielfalt".* Sie wird vornehmlich von den großen konfessionellen Weltbünden gepflegt: von dem Lutherischen Weltbund, dem reformierten Weltbund, der methodistischen Weltallianz und anderen Vereinigungen. Mit diesem Ausdruck wird das Recht der Eigenständigkeit in der gesuchten Einheit der Kirche betont, diese Einheit in der Versöhnung aber nicht abgeschwächt.

Die *römisch-katholische Kirche* hat sich im Zweiten Vatikanum und seither noch viel weiter zur ökumenischen Gemeinschaft mit der orthodoxen und den evangelischen Kirchen geöffnet, als es die Institutionen und die offiziellen Erklärungen erkennen lassen. Papst Johannes XXIII. eröffnete dem „Ökumenismus" neue Möglichkeiten, indem er eine offene Einladung zum Zweiten Vatikanischen Konzil aussprach. Von vierzig während der ersten Konzilsperiode 1962 stieg die Zahl der nicht-römisch-katholischen „Beobachter" auf über hundert in der vierten Sitzungsperiode 1965 an. Schon 1960 war das „Einheitssekretariat" gegründet worden. Weil die „Beobachter" die Vorgänge des Konzils durch eigene Vorträge und Ratschläge kommentierten, wirkten sie auch aktiv auf das Konzil ein, sogar auf manche Konzilstexte. Mit Recht konnte der französische Konzilstheologe Yves Congar 1965 erklären: „Die katholische Kirche ist endgültig in das Leben der Ökumene eingetreten, das dort beginnt, wo man bereit ist, nicht mehr so zu denken und zu leben, als gäbe es die anderen nicht, sondern sich mit ihnen einlassen will in der Erwartung des freilich noch fernen Tages, da wir endlich volle Gemeinschaft haben können am gleichen Brot der Wahrheit und des Herrenleibes." Im Konzil verband die römisch-katholische Kirche die Treue zu sich selbst mit der Offenheit für die Realität der anderen christlichen Kirchen.

Mit dem Eintritt in das „ökumenische Zeitalter" haben die Kirchen den Absolutismus, allein die Wahrheit Christi zu besitzen, und den Triumphalismus, selbst schon „der Himmel auf Erden" zu sein, abgelegt. Sie haben sich gemeinsam auf den Weg durch die Geschichte in jene Zukunft gemacht, die als das Reich Gottes ihre Erfüllung darstellt. Jene *christologische Kirchenlehre*, in der man aus verschiedenen Traditionen zum einen gemeinsamen Ursprung findet, hat darum auf der anderen Seite zu jener *eschatologischen Kirchenlehre* geführt, die die Kirche als das geschichtliche Volk Gottes versteht, das auf das vollendende Reich

Gottes hofft und ihm entgegengeht. Es ist diese Erkenntnis der eigenen Vorläufigkeit hinsichtlich des Reiches Gottes, die die verschiedenen Kirchen in eine Gemeinschaft des Weges miteinander bringt.

Dieser letzte Gedanke hat dann auch viele ökumenisch denkende Theologen auf jenes erste Schisma aufmerksam gemacht, aus dem die christliche Kirche selbst hervorgegangen ist: auf *Israel* und das *Judentum*. Die ökumenische Bewegung ist eine große Bewegung der Umkehr: die Trennungen und Spaltungen der Christenheit in der Vergangenheit werden aufgehoben, um die gemeinsame Zukunft zu gewinnen. Auf diesem Wege kommt man zuletzt unausweichlich auf die erste Spaltung von Christentum und Judentum. Ohne ein neues Verhältnis zum Judentum, zur Synagoge und zu Israel wird die ökumenische Bewegung nicht zum Ziel kommen. Ohne eine neue „Gemeinschaft des Weges" von Christen und Juden gewinnt das Volk Gottes keine selbständige historische Gestalt. „Das Gespräch mit den Juden" kann darum nicht länger im Rahmen der „Dialoge mit nichtchristlichen Religionen", es muß im Zentrum der christlichen Theologie selbst geführt werden. Zu lange hat das Christentum das Judentum nur abgelehnt, verworfen und verfolgt, um sich selbst als das wahre Gottesvolk an die Stelle Israels zu setzen. Der Eintritt in „das ökumenische Zeitalter" bedeutet nicht zuletzt die Abkehr von jedem christlichen Antisemitismus und die Hinwendung zur christlich-jüdischen Gemeinschaft. Auf Grund der Wiederentdeckung der Bedeutung des Alten Testamentes für die christliche Kirche und auf Grund des Holocaust von Auschwitz kam es in den letzten zwanzig Jahren in Europa zu einer Fülle christlich-jüdischer Gespräche und einer zwar noch vorsichtigen, aber theologisch deutlichen, christlichen Anerkennung des jüdischen Glaubens. Christen und Juden sind durch die „Bibelökumene" in Wahrheit viel enger aneinander gebunden, als ihnen bisher bewußt geworden ist. Kirche und Synagoge sind die zwei Seiten der lebendigen messianischen Hoffnung auf das eine Reich Gottes. Die Wiederentdeckung der Bedeutung des Alten Testamentes und die Wiederentdeckung der christlichen Zukunftshoffnung haben ein neues positives Verhältnis der Kirchen zum Judentum theologisch begründet.

Mit dem Eintritt in ihr „ökumenisches Zeitalter" wird die christliche Kirche auch ihren immer unrealistischer werdenden kulturellen und politischen Eurozentrismus überwinden und universal werden. Wird sie aber in allen Völkern und Kulturen präsent, dann tritt sie unausweichlich in das *Gespräch mit den Weltreligionen* ein. Bisher gab es solche Gespräche entweder zur Überwindung der anderen Religionen und zum Zwecke der Missionierung für das Christentum oder aber aus rein wissenschaftlichem Interesse an fremden, religiösen Phänomenen. Jetzt aber muß das Christentum *dialogfähig* und *dialogbereit* werden, wenn es überleben und seinen Beitrag zur Zukunft der Menschheit leisten will. Früher hatte jede Religion ihre eigene Geschichte. Die Religionen haben zwar verschiedene Vergangenheiten, heute liegt ihre Zukunft aber in ihrer neuen Gemeinschaft miteinander. Die theologischen Konzeptionen für die Einstellung des Christentums zu den anderen Weltreligionen stammen durchweg noch aus dem vorökumenischen Zeitalter. Noch immer gibt es den *kirchlichen Absolutismus*, für den es außerhalb der Kirche kein Heil und darum in den anderen Religionen der Welt nur Unheil geben kann. Noch immer gibt es den *Absolutismus des Glaubens*, für den nichtchristliche Religionen nichts als Abgötterei und Aberglauben darstellen. Auch der *synkretistische Totalitätsanspruch*, mit dem sich das Christentum in der Geschichte oft genug die Güter und Gedanken anderer Religionen angeeignet hat, um sie in sich aufzusaugen, ist kein echtes Dialogangebot. Will das Christentum dialogfähig werden, dann muß es diesen Absolutismus überwinden und der Wahrheit Gottes mehr vertrauen als der eigenen Vertretung dieser Wahrheit. Auf der anderen Seite kann der christliche Glaube nicht einem *skeptischen Relativismus* verfallen, der an einem religiösen Gespräch der Weltreligionen nicht interessiert ist. Eine echte Weltgemeinschaft der Religionen ist nur denkbar, wenn die Religionen in fruchtbaren Austausch und offene gegenseitige Beeinflussung eintreten. Echtes Interesse an einer anderen Religion entsteht, wenn ein schöpferisches Bedürfnis nach dem anderen vorliegt. Für die Christen ist der Dialog mit Menschen anderer Religionen kein Mittel zu einem vorherbestimmten Zweck, sondern der im Grunde selbstverständliche Ausdruck ihres Lebens in der Liebe und ihres Wunsches nach Gemeinschaft mit anderen. '

Der Eintritt in das ökumenische Zeitalter ist endlich auch der *Eintritt in das menschheitliche Zeitalter*. Die Völker sind heute auf die Entwicklung einer gerechten Weltgemeinschaft und die Herstellung eines bleibenden Weltfriedens angewiesen, wenn sie überleben wollen. Darum heißt es: „*Eine* Welt oder keine Welt". Die christliche Kirche, die heute in allen Völkern und Kulturen präsent ist, kann ein Ferment für die Entwicklung von Gerechtigkeit und Frieden auf der Erde werden. Christen haben dafür mit großem Nachdruck die Erkenntnis und Verbreitung der *Menschenrechte* gefördert. Alle größeren Kirchen haben sich durch *Theologische Erklärungen* zu den Menschenrechten auf diese als Fundament einer zukünftigen Weltgemeinschaft eingelassen. In der Einheit der individuellen und der sozialen, der ökonomischen und der ökologischen Rechte sind die Menschenrechte der Ausgangspunkt sowohl für eine Ethik wie für eine Politik der kommenden Weltgemeinschaft. Die Kirchen werden darin auch zum Ausdruck des Weltgewissens gegenüber den eklatanten Menschenrechtsverletzungen in Diktaturen und Klassenherrschaften. Je mehr die Kirchen sich heute von ihren alten Synthesen mit bestimmten Völkern, Staaten und Klassen lösen und sich ihrer ökumenischen Gemeinschaft und ihrer menschheitlichen Verantwortung bewußt werden, desto klarer werden sie zum prophetischen Faktor für die Politik der kommenden Weltgesellschaft werden. Ihre ökumenische Universalität bringt sie in diese neue politische Verantwortung.

Von einer Zukunft für die Völker kann sinnvoll nur dann die Rede sein, wenn der *Weltfrieden* hergestellt und bewahrt wird. Frieden ist die erste Bedingung für das Überleben der Menschheit. Je mehr sich die Kirche von den Interessen der herrschenden Völker und Klassen befreit und ihr eigenes Zeugnis ausspricht, desto mehr kann sie für den Frieden aller Menschen tun. Die ökumenische Vereinigung der getrennten Kirchen ist die Basis für ihren Einsatz für den Weltfrieden. Zwar haben sich alle Kirchen für den Frieden ausgesprochen, aber eine *theologische Lehre vom Frieden* im Zeitalter der drohenden Nuklearkriege und der wachsenden ökologischen Krise ist erst in den Anfängen begriffen. In ihr müssen die alten Lehren vom „gerechten Krieg" und von der „Herrschaft des Menschen über die Natur" revidiert werden. Die Menschenrechte und der Friede mit der Natur sind die dringendsten politischen Themen der Theologie am Ende des 20. Jahrhunderts.

Literatur

Kapitel 1 und 2: Zur Theologie des 19. und 20. Jahrhunderts

R. *Aubert,* Vom Kirchenstaat zur Weltkirche, 2 Bde, 1976/77.
G. *Becher,* Theologie in der Gegenwart. Tendenzen und Perspektiven, Regensburg 1978.
K. *Barth,* Die Protestantische Theologie im 19. Jahrhundert, Zürich 1947.
Cl. *Geffré,* Die neuen Wege der Theologie, Freiburg–Basel–Wien 1973.
E. *Hirsch,* Geschichte der neueren evangelischen Theologie, im Zusammenhang mit den allgemeinen Bewegungen des europäischen Denkens, Bd I–IV, Gütersloh 1949.
F. W. *Kantzenbach,* Programme der Theologie. Denker, Schulen, Wirkungen von Schleiermacher bis Moltmann, München 1978.
M. *Neusch / Br. Chenu,* Au pays de la théologie, à la découverte des hommes et des courants, Paris 1979.
M. *Schoof,* Der Durchbruch der neuen katholischen Theologie. Ursprünge – Wege – Strukturen, Freiburg 1969.
A. *Kuyper,* Reformation wider Revolution, Berlin 1904.
C. *Schmitt,* Politische Theologie. Vier Kapitel zur Lehre von der Demokratie, München–Leipzig 1934.
H. *Arendt,* Über die Revolution, München 1963.

Kapitel 3: Zur säkularen Relevanz

M. *Horkheimer / Th. W. Adorno,* Dialektik der Aufklärung, Frankfurt 1969.
P. *Tillich,* Systematische Theologie, I–III, Stuttgart 1956–66.
K. *Rahner,* Schriften zur Theologie, I–XIV, Einsiedeln 1957ff.
H. *Blumenberg,* Die Legitimität der Neuzeit, Frankfurt 1966.
H. *Küng,* Christsein, München 1974.
R. *Bultmann,* Glauben und Verstehen, I–IV, Tübingen 1933–65.
H. W. *Bartsch (ed.),* Kerygma und Mythos, I–IV, Hamburg 1960ff.
G. *Ebeling,* Wort und Glaube, I–II, Tübingen 1963.1969.
H. G. *Gadamer,* Wahrheit und Methode, Tübingen 1960.
P. *Ricœur,* Le conflit des interprétations. Essais d'herméneutique, Paris 1969.
J. B. *Metz,* Glaube in Geschichte und Gesellschaft, Mainz 1977.
J. B. *Metz / J. Moltmann / W. Oelmüller,* Kirche im Prozeß der Aufklärung. Aspekte einer neuen „politischen Theologie", München 1970.
D. *Sölle,* Politische Theologie, Stuttgart 1971.

D. Bonhoeffer, Widerstand und Ergebung, München 1951.

F. Gogarten, Der Mensch zwischen Gott und Welt, Heidelberg 1952.

T. Rendtorff, Theorie des Christentums, Gütersloh 1972.

W. Pannenberg, Wissenschaftstheorie und Theologie, Frankfurt 1973.

N. Luhmann, Funktion der Religion, Frankfurt 1977.

H. E. Cox, Stadt ohne Gott, Stuttgart–Berlin ²1967.

C. Torres, Revolution als Aufgabe des Christen, Mainz 1969.

G. Gutiérrez, Theologie der Befreiung, München–Mainz 1973.

P. Freire, Die Pädagogik der Unterdrückten, Stuttgart–Berlin 1971.

H. Zwiefelhofer, Neue Weltwirtschaftsordnung und katholische Soziallehre, München 1980.

J. H. Cone, Schwarze Theologie, Mainz–München 1971.

G. S. Wilmore / J. H. Cone, Black theology. A documentary history 1966–1979, New York 1979.

M. Daly, Jenseits Gott Vater, Sohn & Co, München 1980.

E. Moltmann-Wendel, Menschenrechte für die Frau, München 1973.

R. R. Ruether, Frauen für eine neue Gesellschaft. Frauenbewegung und menschliche Befreiung, München 1979.

P. Teilhard de Chardin, Der Mensch im Kosmos, München 1959.

Ders., Die Zukunft des Menschen, Olten–Freiburg 1963.

E. Bloch, Das Prinzip Hoffnung, I–II, Frankfurt 1959.

J. Moltmann, Theologie der Hoffnung, München 1964.

Kapitel 4: Zur christlichen Identität

K. Barth, Kirchliche Dogmatik, I/1 – IV/4, Zürich 1932–1967.

K. Rahner, Grundkurs des Glaubens. Einführung in den Begriff des Christentums, Freiburg 1976.

A. Loisy, L'Evangile et l'Eglise, Paris 1902.

J. M. Lagrange, L'Evangile de Jésus-Christ, Paris 1928.

A. Schweitzer, Geschichte der Leben-Jesu-Forschung, Tübingen 1913.

A. v. Harnack, Marcion. Das Evangelium vom fremden Gott, Leipzig 1924.

Cl. Thoma, Christliche Theologie des Judentums, Aschaffenburg 1978.

F. Mußner, Traktat über die Juden, München 1979.

G. v. Rad, Theologie des Alten Testamentes, I–II, München 1958/60.

J. Moltmann, Kirche in der Kraft des Geistes, München 1975.

K. Adam, Jesus Christus, Mainz 1933.

W. Pannenberg, Grundfragen der Christologie, Gütersloh 1964.

W. Kaspar, Jesus der Christus, Mainz 1974.

Br. Forte, Geschichte Gottes – Gott der Geschichte, Mainz 1984.

J. Sobrino, Cristología desde américa latina, Mexico City 1976 (engl: Christology at the Crossroads. A Latin American Approach, New York 1978).

H. U. v. Balthasar, Mysterium Paschale, in: Mysterium Salutis. Grundriß heilsgeschichtlicher Dogmatik, III/2, Einsiedeln 1969, 133–326.

H. Mühlen, Die Veränderlichkeit Gottes als Horizont einer zukünftigen Christologie, Münster 1969.

J. Moltmann, Der gekreuzigte Gott, München 1972.

E. Jüngel, Gott als Geheimnis der Welt, Tübingen 1977.

Kapitel 5: Zur Theologie im ökumenischen Zeitalter:

R. Rouse / S. Neill, Geschichte der ökumenischen Bewegung, Teil I–II, Göttingen 1957f.

L. Vischer (ed.), Die Einheit der Kirche, München 1965.

P. Albrecht (ed.), Die Kirche als Faktor einer kommenden Weltgemeinschaft, Stuttgart 1966.

E. Lange, Die ökumenische Utopie oder Was bewegt die ökumenische Bewegung?, Stuttgart 1972.

W. Huber / H. E. Tödt, Menschenrechte. Perspektiven einer menschlichen Welt, Stuttgart 1977.

J. Lochman / J. Moltmann, Gottes Recht und Menschenrechte, Neukirchen-Vluyn 1977.

Päpstliche Kommission „Iustitia et pax", Die Kirche und die Menschenrechte, Rom 1975.

II
Heutige Vermittlungen der Theologie

In geschichtlicher Hinsicht ist jede christliche Theologie bewußt oder unbewußt eine „Theologie der Vermittlung", denn sie vermittelt die überlieferte christliche Botschaft dem Verstehenshorizont der Menschen der jeweiligen Gegenwart. Die Vermittlung zwischen der christlichen Tradition und der Kultur der Gegenwart ist die wichtigste Aufgabe der Theologie überhaupt. Ohne lebendigen Bezug auf die Möglichkeiten und die Probleme der Menschen der Gegenwart wird die christliche Theologie steril und irrelevant. Ohne Bezug auf die christliche Tradition aber wird die christliche Theologie opportunistisch und unkritisch. Die Arbeit der geschichtlichen Vermittlung muß beide Seiten beachten: die unverfälschte Identität der christlichen Botschaft und ihre gegenwärtige Relevanz. Es sind der christlichen Theologie in ihrer Geschichte großartige Synthesen gelungen: Die altkirchliche Theologie war für Jahrhunderte eine gelungene und bewährte Synthese zwischen der christlichen Tradition und der hellenistischen Kultur. Die mittelalterliche Theologie war für lange Zeit die wirksame Synthese zwischen der christlichen Tradition und der lateinischen Kultur. Die Reformation konzentrierte sich zwar wieder ganz auf die Identität der biblisch-christlichen Verkündigung, wurde aber kulturell wirksam erst durch den protestantischen Humanismus Melanchthons und Calvins, der die moderne Welt in West- und Mitteleuropa geprägt hat. Im Blick auf die neuzeitliche Kultur ist der christlichen Theologie jedoch bis heute keine einheitliche und allgemein überzeugende Synthese gelungen. Zu unklar und vielseitig ist das Phänomen der „Moderne". Zu sehr stellt der moderne Geist jede Tradition und insbesondere jede religiöse Tradition kritisch in Frage und relativiert sie. Im Blick auf die besonderen Probleme dieser modernen Welt steht darum die Theologie der Vermittlung der christlichen Tradition vor einer doppelten Aufgabe: Sie muß auf der einen Seite das Recht und die Bedeutung des christlichen Glaubens gegen die Zweifel und die Kritik des modernen Geistes *apologetisch* verteidigen. Sie muß auf der anderen Seite den christlichen Glauben in seiner *therapeutischen* Relevanz an den Krankheiten des modernen Geistes und an den Aporien der modernen Welt beweisen. Die heutige Vermittlung des christlichen Glaubens an die moderne Welt ist immer von apologetischen Interessen auf der einen Seite und von kulturkritisch-therapeutischen auf der anderen Seite bestimmt. Das unterscheidet die moderne „Theologie der Vermittlung" von ihren Vorgängern in den vormodernen Epochen.

Das Phänomen der modernen Welt ist vieldeutig, ebenso vielfältig sind die Selbstinterpretationen der modernen Welt, und entsprechend zahlreich ergeben sich die theologischen Anknüpfungspunkte für die Vermittlung der christlichen Tradition. Die moderne Welt ist eine „säkulare Welt", sagen diejenigen, die sie vornehmlich mit der christlichen Einheitskultur des „Heiligen Reiches" im Mittelalter vergleichen. Die moderne Welt verdankt sich der „anthropozentrischen Wende" der Renaissance und der Reformation, sagen andere, die sie mit der Kosmozentrik früherer Epochen vergleichen. Die moderne Welt ist die „geschichtliche Welt", heißt es, wenn man zeigt, wie die alte Orientierung der menschlichen Kultur an der Welt der Natur der neuen Orientierung der menschlichen Kultur an der Weltgeschichte und ihrem Fortschritt gewichen ist.

Die moderne Welt ist in der Tat ein einzigartiges „Experiment". Sie ist das erste „Projekt" der Menschheit, das nach menschlichen Zielen und mit menschlichen Mitteln geschaffen wird. Die „wissenschaftlich-technische Zivilisation" wird zum Schicksal der ganzen Menschheit immer mehr werden. Sie breitet sich unwiderstehlich aus in den Ländern, die deshalb „Entwicklungsländer" genannt werden. Sie wird unaufhaltsam weiter entwickelt. Nicht zuletzt zeigt die Soziologie mit harten Fakten und Daten, daß an die Stelle der alten naturfreundlichen Agrargesellschaft die naturausbeutende und nur auf menschliche Ziele angelegte Industriegesellschaft getreten ist: Vor hundert Jahren lebte die Masse der Menschen auf dem Land. Heute wohnt die

Mehrheit der Menschen in den Massenstädten. Der große Treck vom Land in die Städte hält an und bestimmt heute auch die Situation der Völker in der Dritten Welt: „Das technische Haus, die technische Stadt, die von der technischen Stadt beherrschte, zum Menschheitshaus gemachte Erde: das ist das Symbol unseres Zeitalters, des Zeitalters der Erfüllung der technischen Utopie, des Zeitalters der Einwohnung des Menschen in die Erde und der Aneignung und Umschaffung der Erde durch den Menschen."[1] *Säkularisierung* bedeutet also praktisch Urbanisierung und Industrialisierung. *Vergeschichtlichung* meint den programmierten Fortschritt der industriellen Machtentfaltung.

Das Phänomen dieser „modernen Welt" ist in der Geschichte der Menschheit in der Tat einzigartig. Zum ersten Mal löst sich eine menschliche, von Menschen gemachte Welt von der Welt der Natur ab. Die Orientierung an den Gesetzen und Rhythmen der Natur wird durch die Orientierung an den selbstgesetzten, menschlichen Hoffnungen und Zielen überlagert. Man will nicht mehr „der Natur entsprechend leben", wie es in der Antike und in den asiatischen Gesellschaften hieß, sondern konstruiert die Wirklichkeit nach den eigenen Vorstellungen und Projekten. Nicht mehr die Mächte der Natur, sondern der Wille des Menschen bestimmt das Schicksal der Menschen. Nicht mehr vornehmlich Naturkatastrophen sind es deshalb, sondern die großen Menschheitsverbrechen wie Auschwitz, Hiroshima und der zukünftig mögliche nukleare Weltuntergang, die die modernen Menschen in Angst und Schrecken versetzen. Hat „Gott" noch einen Platz und eine Funktion in dieser Welt, die immer mehr zur Welt der Menschen wird? Welchen Sinn hat der „Glaube" in dieser Welt der menschlichen Macht und der menschlichen Verantwortung? Welche soziale und politische Rolle können die „Kirchen" spielen, die in Großstädten zwischen den Hochhäusern, Hotelpalästen und Wolkenkratzern verschwinden? Es ist verständlich – wenn auch nicht christlich –, daß die großen Kirchen auf diese beispiellose „neue Welt" zunächst oft mit apokalyptischen Ängsten reagiert haben und sie

---

[1] *P. Tillich,* Die technische Stadt als Symbol, in: Die religiöse Substanz der Kultur. Schriften zur Theologie der Kultur, GW IX, Stuttgart 1967, 309f (kursiv).

als „Abfall vom Glauben" in die Gottlosigkeit, als antichristlichen Aufstand gegen Gott und als Anfang des allgemeinen Weltuntergangs verurteilt haben. Mit großen Zeitabständen haben sich die verschiedenen Kirchen dann doch theologisch auf die neue Situation der Menschen in der modernen Welt eingelassen: zuerst im 17. Jahrhundert die evangelischen Freikirchen der Baptisten und Methodisten in England, dann im Zeitalter der Aufklärung die evangelischen Kirchen auf dem Kontinent. Im Zweiten Vatikanischen Konzil vollzog die römisch-katholische Kirche ihr großes „Aggiornamento" an die Neuzeit. Den orthodoxen Kirchen steht dieser Umwandlungs- und Anpassungsprozeß noch bevor. Auf der anderen Seite begann die moderne Welt ihrerseits mit fundamentalen Traditionsabbrüchen, um sich radikal ihrem eigenen Fortschritt zu verschreiben. Gegenüber der Bevormundung durch die Mächte der Tradition und der Kirche gewannen die modernen Menschen ihre Freiheit durch entschlossene Emanzipation, durch Verdrängung der fremdgewordenen Vergangenheit und Orientierung auf die eigene Zukunft: Die Vergangenheit ist allenfalls ein Prolog der Zukunft, sagte man. Nicht der Gottesglaube, sondern der Atheismus wurde zum Garanten ihrer persönlichen und sozialen Freiheit erhoben: Gibt es einen Gott, dann ist der Mensch nicht frei. Der Mensch muß aber frei und für seine Welt verantwortlich sein, darum darf es keinen Gott geben[2]. In dieser Situation zwischen dem apokalyptischen Konservativismus der Kirchen und vieler Gläubigen und dem optimistischen Fortschrittsglauben der freiheitsliebenden, modernen Menschen ist die „Theologie der Vermittlung" keine friedliche, sondern eine konfliktreiche Aufgabe.

Wir nehmen hier exemplarisch vier große Vermittlungen auf, um an ihnen die Probleme der Theologie in der modernen Welt darzustellen.

1. Existentialtheologie: Rudolf Bultmann und das Problem der Geschichte.
2. Transzendentaltheologie: Karl Rahner und das Problem der Anthropozentrik.

---

[2] *J.-P. Sartre*, Ist der Existentialismus ein Humanismus? Frankfurt – Berlin – Wien 1985, S. 16 (Ullstein Buch 35001).

3. Kulturtheologie: Paul Tillich und die religiöse Deutung der säkularen Welt.
4. Die Politische Theologie und die unvollendete Neuzeit.

1.
Existentialtheologie:
Rudolf Bultmann und das Problem der Geschichte

Die schwerste und bis heute noch nicht überwundene Krise des christlichen Glaubens stellt die historische Kritik dar. Das Zeitalter der Aufklärung begann im 17. Jahrhundert mit der historisch-kritischen Aufklärung der Traditionen und der Herrschaftslegenden in Kirche und Staat. Die Entlarvung der „konstantinischen Schenkung" als einer Legende zur Begründung des Kirchenstaates war nur der Anfang. Im protestantischen Bereich wurde die historisch-kritische Bibelforschung entwickelt, die seit Johann Salomo Semler zum Ausdruck der intellektuellen Redlichkeit der gebildeten Menschen in Europa wurde[3]. Gegenstand der Kritik war die Lehre der Verbalinspiration der „Heiligen Schrift", durch welche diese unfehlbar, selbstgenügsam, widerspruchsfrei und damit zur absoluten Autorität in allen Glaubens- und Lebensfragen erklärt worden war. Im katholischen Bereich wurde die Unfehlbarkeitsbehauptung des kirchlichen Lehramtes hundert Jahre später ebenso unbestechlich wie vorurteilsfrei in ihrer historischen Bedingtheit dargestellt und kritisch in Frage gestellt. Die historisch-kritische Betrachtung der religiösen Autorität in Bibel und Kirche galt und gilt in der bürgerlichen Welt als Grundlage ihrer religiösen Freiheit[4]. Sie führte aber auch zur unabweisbaren Erkenntnis der geschichtlichen Relativität aller Werte und Ideale, die Menschen für heilig, absolut oder göttlich gehalten haben und noch halten. Der historische Relativismus, für den es nichts Absolutes in der Geschichte geben kann außer eben der allgemeinen Relativität aller Dinge, war die Folge der historischen Kritik. Wie aber

---

[3] *H.-J. Kraus*, Geschichte der historisch-kritischen Erforschung des Alten Testaments, Neukirchen-Vluyn ³1982.
[4] Vgl. *A. Schweitzer*, Geschichte der Leben-Jesu-Forschung, Tübingen ⁶1951.

kann der Glaube, der doch unbedingte Gewißheit ist, sich auf historische Überlieferung gründen, die doch immer relativ ist, nur wahrscheinlich begründet und unsicher vermittelt ist?[5] Wie kann der Glaube an Gott, der doch der Absolute und Notwendige ist, auf zufälligen geschichtlichen Ereignissen beruhen? „Zufällige Geschichtswahrheiten können der Beweis für notwendige Vernunftwahrheiten nie werden", hatte *G. E. Lessing* schon im 18. Jahrhundert erklärt[6]. Mit der Entwicklung des historisch-kritischen Bewußtseins wurde nicht nur den religiösen Autoritäten der Boden entzogen, sondern auch allen Werten und Normen im Ethos der Gesellschaft. Der historische Relativismus führte zum Subjektivismus der modernen pluralistischen Gesellschaft. Denn die innere Motivation der historisch-kritischen Forschung war die Befreiung der Menschen der Gegenwart vom Vormund der Traditionen. „Das historische Bewußtsein zerbricht die letzten Ketten, die Philosophie und Naturwissenschaft nicht zerreißen konnten. Der Mensch steht nun ganz frei da."[7] Die „geschichtliche Erforschung eines menschlichen Gedankengebildes dient immer dazu, von ihm zu befreien"[8]. „Die wahre Kritik des Dogmas ist seine Geschichte."[9]

Worin aber besteht diese Freiheit der Gegenwart von dem Traditionsdruck der Vergangenheit? Führt sie nicht zu einem neuen Absolutismus der Gegenwart gegenüber der Vergangenheit? Wenn das historische Bewußtsein die Einsicht in die zeitliche Relativität aller Dinge vermittelt, dann ist auch die Gegenwart selbst relativ, dann ist „alles im Prozeß fließend und nichts bleibend" (W. Dilthey): „Die Weltgeschichte als das Weltgericht er-

---

[5] *E. Troeltsch,* Die Absolutheit des Christentums und die Religionsgeschichte, ed. T. Rendtorff, München 1969, 45; Der Historismus und seine Überwindung. Fünf Vorträge, Berlin 1924, 3 ff.

[6] *G. E. Lessing,* Über den Beweis des Geistes und der Kraft, in: Gesammelte Werke Bd. 8: Philosophische und theologische Schriften II, Berlin (Ost) 1956, 12 (gesperrt gedruckt).

[7] *W. Dilthey,* Gesammelte Schriften Bd. VIII, Stuttgart ³1962, 225.

[8] *W. Herrmann,* Der Verkehr des Christen mit Gott im Anschluß an Luther dargestellt, Stuttgart 1896, 42.

[9] *D. F. Strauß,* Die christliche Glaubenslehre, Bd. I, Stuttgart 1840 (Nachdruck Darmstadt 1973), 71; vgl. auch *F. Nietzsche,* Vom Nutzen und Nachteil der Historie für das Leben, in: Unzeitgemäße Betrachtungen, Kröner 37, Stuttgart 1924, 12 ff.

weist jedes metaphysische System als relativ, vorübergehend und vergänglich." Das Problem der „Vermittlung" von christlicher Tradition und säkularer Gegenwart wurde damit unauflösbar. *Ernst Troeltsch* sah es am klarsten und zerbrach daran: „Das Verhältnis zwischen der endlosen Bewegtheit des geschichtlichen Lebensstromes und dem Bedürfnis des menschlichen Geistes, ihn durch feste Normen zu begrenzen und zu gestalten", ist in keine positive Synthese mehr zu bringen, weil der Widerspruch bleibt: „Vor dem Ende der Geschichte kann man nicht von einer absoluten Religion reden."[10]

Der moderne, liberale Protestantismus suchte als erster eine neue Antwort auf diese Herausforderung des neuzeitlichen Geistes. Der Entwurf der „Glaubenslehre" durch *Friedrich Schleiermacher* prägte den Protestantismus des 19. Jahrhunderts nachhaltig[11]. Bei Schleiermacher tritt an die Stelle des Christusdogmas der Kirche der irdische, historisch erkennbare Jesus, der durch sein „stets kräftiges Gottesbewußtsein" erlösende Wirkungen auf das durch Sünde beeinträchtigte Gottesbewußtsein der Menschen ausübt. Durch seine innere Persönlichkeit wirkte und wirkt Jesus auf Menschen, und zwar auf ihr „unmittelbares Selbstbewußtsein", ihre Seele, ihr Gewissen. Darum kann man ihn das „produktive Urbild" der mit Gott versöhnten und vereinten Menschen nennen. Das Christentum ist folglich eine persönliche „Erlösungsreligion". Indem Schleiermacher in Hinsicht auf die Geschichte vom Christusdogma auf Jesus selbst zurückging und in der Geschichte Jesu nicht übernatürliche Inkarnation und die eschatologische Auferstehung, sondern die innere Sündlosigkeit und das stets kräftige Gottesbewußtsein Jesu ins Zentrum stellte, kam er der historischen Kritik entgegen und nahm die anthropozentrische Wende der Neuzeit auf: Nicht in den objektiven geschichtlichen Fakten, sondern im subjektiven Bewußtsein des geschichtlichen Menschen ist Gott präsent. Auf der anderen Seite befreite er den Glauben von dogmatischen Behauptungen und moralischen Postulaten und siedelte ihn im Herzen der menschlichen Person an als das inwendige „Gefühl der schlecht-

---

[10] *E. Troeltsch,* Die Absolutheit des Christentums und die Religionsgeschichte, 50.
[11] *F. Schleiermacher,* Der christliche Glaube, 2. Auflage, bes. §§ 93–112.

hinnigen Abhängigkeit" von Gott. Diese Lösung galt über hundert Jahre lang als genial, weil sie das „innere Leben" Jesu und das gleichfalls „innere Leben" des gläubigen Menschen der Kritik des modernen historischen und des modernen naturwissenschaftlichen Bewußtseins entzieht. Sie raubt jedoch dem Christentum seinerseits die Möglichkeit zur Kritik des modernen Bewußtseins.

Am Beginn des 20. Jahrhunderts präsentierte der Marburger Theologe *Wilhelm Herrmann* (1846–1922) diese Lösung dem durch historischen Positivismus und breite naturwissenschaftliche Bildung geschärften modernen Geist[12]. Gotteserkenntnis war für ihn „der wehrlose Ausdruck religiösen Erlebens"; wehrlos, weil ohne die Kraft objektiver Beweise; ein Ausdruck, weil ganz und gar bezogen auf diese innere Erfahrung des Menschen. Für Herrmann zerfiel die Welt in zwei verschiedene Wirklichkeiten: die erklärbare, vorstellbare, unter Allgemeinbegriffe zu fassende „Welt der Dinge" und die erlebbare, zum Ausdruck zu bringende, nur individuell zugängliche Welt des Selbstseins. In der „erklärbaren Welt" der Dinge kommen weder Gott, der Absolute, noch das innere Selbst der menschlichen Person, das Zentrale, vor. „Gott" ist darum so wenig „beweisbar" wie die innere Selbsterfahrung. „Ein bewiesener Gott ist Welt, und ein Gott, der Welt ist, ist ein Götze."[13] Die naturwissenschaftliche Psychologie kann zwar die Seele in eine absehbare Menge von Relationen auflösen, die Einheit jedoch, in die wir die Mannigfaltigkeit unserer inneren Zustände zusammenfassen, unser Selbstbewußtsein, ist etwas völlig anderes als das Wissen von jenen Relationen. Mit diesen Unterscheidungen gewann Herrmann in der Zeit der naturwissenschaftlichen Auflösung der Welträtsel und der psychoanalytischen Aufklärung des Bewußtseins ein anderes Reich, eine davon unberührbare Welt. „Gott und die Seele", in moderner Formulierung: „Transzendenz und Existenz"[14], gehören nicht in die objektive Welt der Beweise und der

---

[12] *W. Herrmann*, Ethik, Tübingen ⁵1913.

[13] *W. Herrmann*, Gottes Offenbarung an uns (1908), in: Schriften zur Grundlegung der Theologie II, ed. P. Fischer-Appelt, TB 36/II, München 1967, 155.

[14] Vgl. z. B. *K. Jaspers*, Einleitung in die Philosophie, in: Philosophie I: Philosophische Weltorientierung, Berlin 1932, 15 ff.

Kritik, sondern in die nichtobjektivierbare Dimension der unmittelbaren, inneren Erfahrung. Das ist der subjektive Bereich der „Religion": „Das Erwachen des Individuums zu einem für es selbst begründeten Bewußtsein eines solchen eigenen Lebens ist die Religion." [15] Die christliche Theologie verzichtet hier auf die objektiven Gottesbeweise aus der Welt und aus der Geschichte. Indem sie Gott allein auf die innere Selbsterfahrung des Menschen bezieht, macht sie freilich aus ihrer modernen Beweisnot eine Tugend: Die religiöse Selbsterfahrung begründet die innere Persönlichkeit eines Menschen, gibt seiner Seele Stabilität und begründet souveräne Freiheit gegenüber der Welt. Im modernen mechanistischen Weltbild und in der modernen Welt der Institutionen und Maschinen kommt nicht nur Gott nicht mehr vor, auch der Mensch in seiner Personalität verschwindet. Er wird zum Geflecht sozialer Rollen und zum Automaten, oder er wird zu einem „Mann ohne Eigenschaften" (Robert Musil). Religion aber – als subjektiver Glaube verstanden – rettet die zerstörte Subjektivität der Bewohner der modernen Zivilisation und der modernen Massenstädte und macht aus angepaßten Objekten Persönlichkeiten. An dieser modernen „Theologie der Vermittlung" sind die apologetischen und die kritisch-therapeutischen Seiten besonders gut zu erkennen.

Rudolf Bultmann (1884–1976) war Neutestamentler und zugleich einer der einflußreichsten Theologen des 20. Jahrhunderts [16]. Er war als Historiker des Neuen Testaments dem historisch-kritischen Bewußtsein besonders ausgesetzt und verpflichtet. Als treuer Schüler Wilhelm Herrmanns in Marburg kannte er dessen protestantische „Theologie der Vermittlung". Durch die spätere Freundschaft mit Martin Heidegger kam Bultmann zur Terminologie der Existentialphilosophie, aber seine theologischen Grundgedanken waren schon vorher fertig. Ganz im Sinne Wilhelm Herrmanns schrieb er 1920: „Ganz selbstverständlich ist Religion Privatsache und hat mit dem Staat nichts

---

[15] *W. Herrmann*, Die Auffassung der Religion in Cohens und Natorps Ethik (1909), in: Schriften zur Grundlegung der Theologie II, 228 f.
[16] *R. Bultmann*, Glauben und Verstehen. Gesammelte Aufsätze, Bd. I–IV, Tübingen 1933–1965 (= GuV).

zu tun."[17] Sie ist das Individuelle, das mit dem Allgemeinen nichts zu tun hat. Religion hat darum auch keine „Geschichte", sondern kennt zu allen Zeiten nur das eine Problem, das immer nur individuell aufs neue zu lösen ist: „Die Macht zu finden, der gegenüber freie Selbsthingabe möglich ist."[18] Diese Macht ist Gott als die „alles bestimmende Wirklichkeit", die jeder Mensch persönlich in seiner inneren Selbsterfahrung wahrnehmen kann, sofern er sich Gott anvertraut. Von Gott zu reden, abgesehen von dieser inneren Selbsterfahrung, ist Abstraktion und Blasphemie. Man kann nur aus der inneren Betroffenheit heraus von Gott reden. Von Gott reden heißt zugleich von der eigenen Existenz reden[19]. Jeder Satz über Gott ist zugleich ein Satz über die eigene Existenz. Theologie ist zugleich Anthropologie und umgekehrt.

Schon 1921 verwendete Bultmann den Begriff der „Existenz", meinte damit aber nichts anderes als Kierkegaard mit dem Begriff „Selbst" und Augustin mit dem Begriff „Seele". Existenz ist das „Selbstseinkönnen" des Menschen (Heidegger). Mit Hilfe der Heideggerschen Existentialanalyse erweiterte Bultmann diese alten Begriffe und entwickelte als Grundbedingungen der menschlichen Existenz die Existentialien der Geschichtlichkeit, der Zeitlichkeit, der Entschiedenheit, der Zukünftigkeit sowie die Kategorien der Eigentlichkeit/Uneigentlichkeit des Existierens. Mit kulturkritischer Deutlichkeit grenzte er seine Anthropologie von der menschlichen Gesellschaft und vom Kosmos der Natur ab: Echte menschliche Gemeinschaft ist nur die personale Ich-Du-Beziehung. In der institutionalisierten Gesellschaft verliert der Mensch hingegen sein Selbst, spielt nur eine soziale Rolle, trägt nur eine vorgeprägte Maske und lebt in Unwesentlichkeit. Für Bultmann sind dies die Signaturen der Großstadt („Die großen Städte sind nicht wahr ...") und des modernen Sozialstaates, der die menschlichen Tugenden des Schenkens und Empfangens in Ansprüche und Leistungen verwandelt: „Wo das gegenseitige Verhältnis durch Organisation geordnet wird, da

---

[17] *R. Bultmann,* Religion und Kultur (1920), in: Anfänge der dialektischen Theologie, ed. J. Moltmann, Bd. II, München 1963, 20 (im Original z. T. kursiv).
[18] Ebd. 23
[19] Vgl. *R. Bultmann,* GuV I, 33.

hört das Vertrauen auf, das Band zwischen Mensch und Mensch zu sein."[20] Mit der Gesellschaft verschwindet auch die Natur aus dem Blick, und mit der natürlichen Umwelt wird auch die Dimension der existentiellen Leiblichkeit des Menschen in die Uneigentlichkeit verdrängt. Moderne christliche Theologie ist wie eine Ellipse mit zwei Brennpunkten: Gott und das eigene Selbst bzw. Existenz bzw. Seele. Denn es ist ihre Aufgabe klarzumachen, daß Glaube keine innerweltlichen Stützen sucht und auch keine innerweltlichen Sicherheiten gibt, sondern reines, persönliches Vertrauen auf den ungegenständlichen Gott ist und darin Freiheit von dieser Welt vermittelt.

Aus diesem Grundgedanken von „Gott und Existenz" folgen die exegetischen und hermeneutischen Programme, mit denen Bultmann berühmt geworden ist: das *Programm der Entmythologisierung* und der *existentialen Interpretation* der christlichen Tradition[21]. Die Exegese hat es mit Texten zu tun, die aus der Geschichte begegnen. Der Exeget steht selbst in der Geschichte, d. h., er existiert geschichtlich und wird von den Fragen nach sich selbst in konkreten geschichtlichen Erfahrungen und Entscheidungen bewegt. Dies ist sein Vorverständnis oder sein vorausgehendes Lebensverhältnis zur Sache, die in den Texten zur Sprache kommt. Beachtet man diese beiden Tatsachen, dann muß jede Interpretation von geschichtlichen Texten eine geschichtliche, d. h. existentielle Interpretation sein, weil sie sonst die Intention der geschichtlichen Texte verfehlt. Geschichtliche Texte sind von geschichtlichen Menschen geschrieben worden. Sie sprechen in ihnen direkt oder indirekt ihr geschichtliches Selbstverständnis aus. Religiöse geschichtliche Texte bringen dieses Selbstverständnis im Zusammenhang mit dem jeweiligen Gottesverständnis zum Ausdruck. Würde man diese nur objektiv betrachten und neutral beobachten, dann würde man sich über

---

[20] *R. Bultmann,* GuV II, 286; vgl. auch Theologie des Neuen Testaments, Tübingen 1953, 187.

[21] *R. Bultmann,* Neues Testament und Mythologie. Das Problem der Entmythologisierung der neutestamentlichen Verkündigung (1941), in: Kerygma und Mythos, ed. H. W. Bartsch, Bd. I, Hamburg 1948, 15–53; Das Problem der Hermeneutik, GuV II, 211–235; vgl. H. W. Bartsch (ed.), Kerygma und Mythos Bd. I–IV, Hamburg 1948 ff.

die Geschichte stellen und würde nichts verstehen. Zum geschichtlichen Verstehen der Texte der Tradition gehört die Wahrnehmung der eigenen geschichtlichen Existenz. Nur wenn man von den Fragen der eigenen geschichtlichen Existenz bewegt wird, versteht man die geschichtlichen Texte. Man fragt dann nicht mehr historisch-objektiv: Was haben diese Texte in ihrer Zeit bedeutet? sondern fragt existentiell: Was bedeuten sie für mich heute?

Jede Auslegung geschichtlicher Texte ist zugleich eine Selbstauslegung des Auslegers. Umgekehrt kommt man zur Selbstauslegung des eigenen Existierens durch die Auseinandersetzung mit den Texten vergangener geschichtlicher Existenz. Bultmann begann mit dieser These: Geschichtsauslegung ist Selbstauslegung und Selbstauslegung vollzieht sich in Geschichtsauslegung[22]. Immer vollzieht sich die Hermeneutik geschichtlicher Texte im Rahmen der hermeneutischen Struktur des menschlichen Daseins, denn der Mensch ist geschichtlich auf Selbstverständnis und Selbstauslegung angelegt und angewiesen. Darum fallen in der hermeneutischen Theologie Bultmanns Exegese und Theologie bzw. historische und systematische Theologie in eins zusammen, wobei die Gegenwart stets den Vorrang hat, denn „Geschichte ist ein Ruf zur Geschichtlichkeit"[23]. Dies ist der Grundgedanke der existentialen Interpretation. Aus ihm entsteht mit innerer Konsequenz das Programm der „Entmythologisierung" der im Neuen Testament überlieferten christlichen Botschaft, das Bultmann 1941 veröffentlichte und das wohl das umstrittenste theologische Programm des 20. Jahrhunderts geworden ist. Bultmann geht davon aus, daß verglichen mit dem modernen, naturwissenschaftlich-technischen Weltbild das Weltverständnis der neutestamentlichen Schriften ein mythologisches sei. Mythologisch ist die Vorstellung der Welt in drei Stockwerken: Himmel, Erde, Hölle, mythologisch ist die Erwartung, daß übernatürliche Mächte in den natürlichen Lauf der Dinge eingreifen, mythologisch ist die apokalyptische Erwar-

---

[22] Vgl. *R. Bultmann,* Das Problem einer theologischen Exegese des Neuen Testaments (1925), in: Anfänge der dialektischen Theologie, II, 47–72.

[23] *R. Bultmann,* Geschichte und Eschatologie, Tübingen 1955, 162.

tung eines nahenden Weltendes, etc. „Man kann nicht elektrisches Licht und Radioapparat benutzen, in Krankheitsfällen moderne medizinische Mittel in Anspruch nehmen und gleichzeitig an die Geister- und Wunderwelt des Neuen Testaments glauben."[24] Wer heute die Annahme des biblischen Weltbildes verlangen würde, würde den Glaubenden zum sacrificium intellectus nötigen und den Glauben zum Aberglauben degradieren. Es geht in der christlichen Botschaft aber gar nicht um jenes Weltbild aus der Zeit des Neuen Testaments, sondern um die Gotteserfahrung im Selbstverständnis des Glaubens. Darum muß die biblische Botschaft – der Ruf jener Geschichte – aus dem mythischen Weltbild herausgelöst und in unser heutiges Existenzverständnis übersetzt werden; d. h. negativ, die neutestamentliche Botschaft muß entmythologisiert werden; d. h. positiv, diese Botschaft muß existential interpretiert werden.

Es ist völlig klar, wenngleich meistens verkannt, daß es Bultmann nicht um eine Reduktion der christlichen Botschaft, sondern um ihre notwendige Übersetzung geht[25]. Ist ihm dies gelungen? Dies ist umstritten, denn Bultmann verwendet einen zu engen Mythosbegriff, wenn er sagt, daß der *Mythos* die „objektivierende Aussage existentieller Erfahrungen" sei. Der Mythos erzählt immer auch Ursprungsgeschichte. Bultmann nahm den religionssoziologischen Mythosbegriff von Durkheim und Malinowski nicht auf. Ferner geht er davon aus, das neutestamentliche *Kerygma* sei wesentlich existentielle Anrede, Ruf in die Glaubensentscheidung. Auch diese Definition stellt eine Verengung dar, denn sie beachtet nicht die narrativen Elemente des Evangeliums, z. B. in der eucharistischen Überlieferung. Endlich ist sein Verständnis des *Glaubens* einseitig auf gegenwärtige Geschichtlichkeit des Existierens bezogen. Es läßt außer acht, daß konkrete Geschichtlichkeit immer erst durch wirklich geschehene Geschichte eröffnet, ermöglicht und begrenzt wird, nicht umgekehrt. Die Geschichte Jesu Christi ist kein Ausdruck des Glaubens, sondern ihr Eindruck auf den Menschen ruft den Glauben hervor. Darum geht die Geschichte Christi der Ge-

---

[24] R. *Bultmann*, Neues Testament und Mythologie, 18.
[25] Ebd. 22. 24f.

schichtlichkeit des Glaubens voran, und diese verdankt sich ihr. Auch wenn der Grund des christlichen Glaubens sich nur dem Glaubenden erschließt, geht er doch der Entstehung des Glaubens sachlich voran und fällt nicht mit ihr zusammen.

Die Diskussion dieser hermeneutischen Theologie der Vermittlung ist nach Bultmann in verschiedene Richtungen weitergegangen, ihre Aufgabe und ihre Möglichkeit aber wurden allgemein anerkannt. Als unzureichend erwies sich zuerst Bultmanns *Weltbild*[26]. Er ging von der Herrschaft des Kausalitätsprinzips im mechanistischen Weltbild der modernen Naturwissenschaften aus. Die Entwicklung der neuen Quantenphysik und der biologischen Theorie der offenen Lebenssysteme hat er nicht wahrgenommen. Die von W. Herrmann aus apologetischen Gründen übernommene Zweiteilung der Welt in die „erklärbare Welt der Dinge" und die „erlebbare Welt des Selbstseins", also die alte Dichotomie von Objektivität und Subjektivität ist heute weder naturwissenschaftlich noch anthropologisch oder persönlich zu halten: Das Weltbild der modernen Naturwissenschaften ist wesentlich offener als Bultmann angenommen hat. Als zu eng erwies sich auch die *existentiale Interpretation*. Sie war bei Heidegger und Bultmann mit einer romantischen Kulturkritik an der modernen Gesellschaft verbunden und richtete sich nur an die gebildeten Schichten der Menschen, für die „Existenz" Selbsterfahrung und nicht ökonomisches, soziales und politisches Überleben bedeutete. Darum wurde 1968 das Programm der existentialen Interpretation der christlichen Botschaft von dem Programm der *politischen Theologie*[27] und von der *materialistischen Exegese* der Befreiungstheologie[28] aufgenommen und überholt. Die biblische Gottesbotschaft ist auf das ganze Leben und die

---

[26] *C.F. v. Weizsäcker,* Die Einheit der Natur, München 1971; *W. Heisenberg,* Das Naturbild der heutigen Physik (1953), in: Gesammelte Werke, ed. W. Blum/H.-P. Dürr/H. Rechenberg, Abt. C, Bd. I: Physik und Erkenntnis 1927–1955, 398–420.

[27] *J. Moltmann,* Existenzgeschichte und Weltgeschichte. Auf dem Wege zu einer politischen Hermeneutik des Evangeliums, in: Perspektiven der Theologie. Gesammelte Aufsätze, München 1968, 128–148; *J. B. Metz,* Zur Theologie der Welt, Mainz 1968.

[28] *F. Belo,* Das Markus-Evangelium materialistisch gelesen, Stuttgart 1980.

ganze Wirklichkeit gerichtet, wenn anders Gott „die alles bestimmende Wirklichkeit" (Bultmann) ist. Sie läßt sich weder auf die private Innerlichkeit des gläubigen Menschen noch auf die rein religiöse Dimension des Lebens noch auf die innerkirchliche Gesellschaft beschränken. Sie hat unausweichlich politische Dimensionen und unabweisbar kosmische Horizonte. Auch die Hermeneutikdiskussion nach Bultmann hat die engen Grenzen seiner existentialen Interpretation gesprengt.

Die neuere „narrative Theologie" hat den Sinn der erzählenden Teile des Alten und des Neuen Testaments neben den kerygmatisch-appellativen Sprechweisen wieder entdeckt. Die neuere linguistische Hermeneutik hat die Sprachsoziologie in die biblische Hermeneutik eingeführt und die personalistische Engführung gesprengt. Endlich haben die Ansätze einer strukturalistischen Exegese die anthropozentrische Einseitigkeit in der existentialen Hermeneutik aufgelöst. Nicht so sehr in ihren positiven Wirkungen als viel mehr in ihrer Herausforderung an eine relevante Vermittlung der ursprünglichen christlichen Botschaft an die moderne Welt hat Bultmanns programmatische Theologie gewirkt, und wirkt sie noch heute weit über die konfessionellen Grenzen hinaus.

2.
Transzendentaltheologie:
Karl Rahner und das Problem der Anthropozentrik

Die moderne Welt der europäischen Neuzeit ist aus der sogenannten „anthropozentrischen Wende" entstanden. Die antike Welt, in der Plato und Aristoteles lebten und dachten, war eine *kosmozentrische Welt*: Der einzelne Mensch verstand sich als Glied seiner menschlichen Gemeinschaft, und die menschliche Gemeinschaft (polis) verstand sich als ein Teil des göttlichen Kosmos der Naturordnung. Die mittelalterliche Welt, in der Anselm von Canterbury und Thomas von Aquin lebten und dachten, war eine *theozentrische Welt*: Auf Gott, das absolute und vollkommene Sein, waren Mensch und Natur, Gesellschaft und Kosmos hingeordnet. Mit dem Beginn der Neuzeit in der Renaissance, Reformation und Aufklärung aber machte sich der Mensch immer mehr zum Maß aller Dinge und zum Zentrum der Welt, denn durch seine Wissenschaften und Techniken machte er diese natürliche Welt immer mehr zu seiner eigenen Welt. Wissenschaft und Technik machen ihn zum „Herrn und Eigentümer der Natur"[29]. Er wird ihr Subjekt, sie wird sein Objekt. Die Welt der Natur wird entgöttert, verweltlicht und zum Material des menschlichen Willens. Der Mensch wird entleiblicht und nur noch als dasjenige Subjekt von Erkenntnis und Wille verstanden, das sich der Natur und der eigenen Leiblichkeit gegenüberstellen kann. Die moderne „Metaphysik der Subjektivität", die zuerst Descartes formulierte, indem er *res cogitans* und *res extensa* unterschied und gegeneinander definierte, beherrscht die abendländische Philosophie bis in die Gegenwart und ist nichts anderes als die ontologische Grundlage des „planetarischen Imperialismus des technisch organisierten Menschen"[30]. Die den Menschen umgebende und tragende Welt der Natur wird im Weltbild vorgestellt und in diesem Bild nach menschlichen Maßstäben hergestellt. Damit tritt die Frage nach dem Wesen und der Bestimmung des Menschen in das Zentrum aller Wissenschaften. Die Weltauslegung wurzelt in der Anthropologie, denn der Mensch setzt allen Dingen ihr Maß.

Doch die Frage des Menschen nach sich selbst und seinem wahren Wesen sowie nach seiner geschichtlichen Bestimmung wurde gerade dadurch unbeantwortbar. Die unterworfene Natur kann nicht mehr antworten. Der geleugnete Himmel schweigt. Der moderne Mensch hat sich aus seinen ursprünglichen, natürlichen und religiösen Integrationen herausgelöst. Darum überfällt ihn diese permanente Identitätskrise. „Was ist der Mensch?" ist seine zentrale Frage, und niemand kann sie ihm beantworten, am wenigstens der selbst, der diese Frage aufwirft[31]. Es war nur konsequent, daß Immanuel Kant die Grundfragen der Philosophie der Neuzeit so formulierte: „Was kann ich wis-

---

[29] *R. Descartes,* Discours de la Méthode (1692), Mainz 1948, 145.
[30] Vgl. *M. Heidegger,* Die Zeit des Weltbildes, in: Holzwege, Frankfurt [3]1957, 69–104.
[31] *M. Buber,* Das Problem des Menschen, Heidelberg 1948.

sen?" Er antwortete darauf mit seiner „Kritik der reinen Vernuft". „Was soll ich tun?" Er antwortete darauf mit seiner „Kritik der praktischen Vernunft". „Was darf ich hoffen?" Er antwortete darauf mit seiner „Religion innerhalb der Grenzen der bloßen Vernunft". „Was ist der Mensch?" Kant sagte: „Im Grunde könnte man alles dieses zur Anthropologie rechnen, weil sich die drei ersten Fragen auf die letzte beziehen."[32] Er war jedoch nicht in der Lage, sie zu beantworten. Eine entsprechende „Anthropologie" hat er nie geschrieben. Bis zu M. Heidegger hat niemand diese vierte Frage, deren Antwort alle anderen Fragen lösen soll, beantwortet, und auch er konnte sie nur so beantworten, daß er sie auf die Frage nach dem „Sein" selbst verschob[33].

Die *Religion der Neuzeit* ist entsprechend dieser „Wende" anthropozentrisch und subjektorientiert. Nicht Gott, sondern das Gottesbewußtsein, nicht die Geschichte Christi, sondern die Geschichtlichkeit des Glaubenden, nicht der objektive Glaube, sondern die subjektive Gläubigkeit rücken ins Zentrum. Diese Verschiebung auf die subjektive Bedeutung des Glaubens begann schon in der Reformation. Man fragte nicht mehr: Was ist das? sondern: Was bedeutet es für mich?[34] Damit freilich wurden auch die Weichen für die religionskritische Umkehrung gelegt. Wird alles Religiöse auf das Subjekt Mensch bezogen, dann kann dieses Subjekt auch zum Maß aller religiösen Dinge gemacht werden. Die „Anthropologie" wurde als das Geheimnis der Theologie entdeckt und offenbart (L. Feuerbach): Nicht Gott schuf die Menschen nach seinem Bilde, sondern der Mensch schafft sich seine Götter nach seinen Wünschen[35]. „Religion ist das Selbstbewußtsein des Menschen, der sich selbst entweder noch nicht erworben oder schon wieder verloren hat ... Religion ist die illusionäre Sonne, die sich um den Menschen bewegt, solange er sich nicht um sich selbst bewegt ... Radikal sein

---

[32] *I. Kant,* Logik. Einleitung. Werke (ed. W. Weischedel). III, 448.

[33] *M. Heidegger,* Kant und das Problem der Metaphysik, Bonn 1929, 193 ff.

[34] Vgl. *Ph. Melanchthon,* Loci Communes (1521) und die Fragegestalt des (reformierten) Heidelberger Katechismus (1563).

[35] *L. Feuerbach,* Vorlesungen über das Wesen der Religion, in: L. Feuerbachs Sämmtliche Werke, ed. W. Bolin/F. Jodl, Bd. 8, Stuttgart 1908.

ist die Sache an der Wurzel fassen. Die Wurzel für den Menschen ist der Mensch selbst."[36]

Unter diesen anthropozentrischen Bedingungen der Neuzeit kann christliche Theologie nur als „Anthropo-theologie" glaubwürdig werden[37]. Sie muß sich auf die veränderten Bedingungen einlassen und in ihnen den christlichen Gottesglauben zur Sprache bringen. Im Bereich der katholischen Theologie und weit über ihre Grenzen hinaus ist *Karl Rahner* (1904–1984) mit seiner *Transzendentaltheologie* dafür maßgeblich geworden[38]. Seine Theologie ist zwar von der benachbarten Transzendentalphilosophie des deutschen Idealismus geprägt, will aber inhaltlich nur das reflexiv erfassen, was immer schon in der christlichen Tradition thematisch war, nämlich die Selbstmitteilung Gottes an das menschliche Subjekt. Ist das menschliche Subjekt zum Empfang dieser Selbstmitteilung Gottes bestimmt, dann hat es in sich selbst eine transzendentale Verfassung. Der gnadenhaften Selbstmitteilung Gottes an den Menschen entspricht durchaus die fundamentale innere Selbsttranszendenz des Menschen. Transzendentaltheologie klärt mithin die „apriorischen Bedingungen im glaubenden Subjekt für die Erkenntnis jeglicher Glaubenswahrheit"[39].

Rahner führt damit ähnlich wie R. Bultmann das alte Thema augustinischer Theologie „Gott und die Seele" weiter und überträgt es auf den modernen Menschen, der sich selbst zur unbeantwortbaren Frage geworden ist. Mit seiner Konzentration auf die subjektive Innerlichkeit der Selbst- und Gotteserfahrung kann Rahner die Anstößigkeiten des dogmatischen Glaubens und des Glaubens an sogenannte Heilstatsachen für den modernen Intellekt überwinden. „Die existentielle Bedeutung geschichtlicher Tatsachen kann man ohne Transzendentaltheolo-

---

[36] *K. Marx,* Die Frühschriften, ed. S. Landshut, Kröners Taschenausgabe Bd. 209, Stuttgart 1953, 208. 216.

[37] So *K. P. Fischer,* Der Mensch als Geheimnis. Die Anthropologie Karl Rahners, Freiburg/Basel/Wien 1974, 296.

[38] Hauptschriften: *K. Rahner,* Schriften zur Theologie, Bd. I–XIV, Einsiedeln/Zürich/Köln 1954ff (STh); Grundkurs des Glaubens. Einführung in den Begriff des Christentums, Freiburg/Basel/Wien ⁴1976.

[39] *K. Rahner,* Art. Transzendentaltheologie, Sacramentum Mundi. Theologisches Lexikon für die Praxis, Bd. IV, Freiburg/Basel/Wien 1969, Sp. 987.

gie überhaupt nicht verständlich machen."[40] Er vertieft die innere Identitätskrise des modernen Menschen, indem er dessen unbeantwortbare Frage nach sich selbst mystisch zu jenem „Geheimnis" vertieft, das der Mensch im Innersten sich selbst ist und in welchem er an das Geheimnis rührt, das „Gott" genannt wird. Dem modernen Menschen, der sein Heil fälschlich in objektiven Wahrheiten und Errungenschaften sucht, ist zuerst die objektive Unabschließbarkeit seiner Existenz, d. h ihr inneres „Geheimnis" klarzumachen. Weil der Mensch kraft seiner Selbsttranszendenz auf Gott angelegt ist, kann allein Gottes Selbsterschließung die Existenz des Menschen vollenden. Rahner muß darum zeigen, daß die göttliche Wahrheit des Christentums subjektbezogen ist und subjekthaften Charakter hat. Sie tritt für den modernen Menschen in die Dimension des „Mystischen", des „Geheimnisses", des „Paradoxes". Die unbeweisbare, aber dennoch unabweisbare „Subjektivität ist die Wahrheit"[41].

Karl Rahners Theologie hat zwei Dimensionen, eine innere und eine äußere: die *Mystik* der Exerzitien des Ignatius von Loyola und die *Apologetik* gegenüber der modernen, anthropozentrisch gewordenen Welt. Seine Theologie ist mit Recht eine „moderne Übersetzung mystischer Erfahrung" genannt worden. Wir nehmen hier seine aufsehenerregenden Thesen über „Die anonymen Christen" aus seinem Gesamtwerk auf, um an ihnen die Denkfiguren der transzendentaltheologischen Vermittlung aufzuzeigen[42]. In der modernen Gesellschaft ist die christliche Kirche in eine scheinbar unauflösbare Aporie geraten: Wie kann der christliche Universalanspruch des Heils („Gott will, daß alle Menschen selig werden", 1 Tim 2,4) durch eine Kirche, die immer mehr zur Minderheit wird, in einer Welt des religiösen Pluralismus vertreten werden? Muß man nicht annehmen, daß es auch außerhalb der Kirche „anonyme Christen" geben können muß? Wie verhält sich das Christsein zum wahren Menschsein und das wirkliche Menschsein zum Christsein? Setzt die partikulare Wirklichkeit des Glaubens nicht ihre eigene universale Möglich-

---

[40] STh IX, 112.
[41] *K. P. Fischer,* Der Mensch als Geheimnis, 227.
[42] STh VI, 545–554.

keit voraus und erweist an ihr ihren Wahrheitsanspruch? Rahner antwortet mit einer modernen Übersetzung des mittelalterlichen Schemas von „Natur und Gnade". Wie die Gnade die Natur voraussetzt und sie nicht zerstört, sondern vollendet, so setzt Gottes freie und gnadenhafte Selbstmitteilung das Geschöpf, dem er sich mitteilt, mit der Möglichkeit, die göttliche Selbstmitteilung anzunehmen, voraus. Der Mensch hat die innere Möglichkeit, die Zuwendung Gottes in seiner Offenbarung vernehmen und annehmen zu können. Sofern Gott der Unendliche, Unbegreifliche und Verborgene ist, muß der Mensch in dieser Hinsicht „ein Wesen unbegrenzter Offenheit für das grenzenlose Sein Gottes" genannt werden[43]. Seine transzendentale Offenheit ist „die zu sich selbst gekommene Undefinierbarkeit" des Menschen[44], theologisch gedeutet: seine Verwiesenheit auf das unendliche Geheimnis, auf Gott. Das „Geheimnis", das der Mensch sich selbst ist, ist das Geheimnis des unendlichen Gottes und umgekehrt. Anthropologie und Theologie stehen darum in einem unlösbaren korrelativen Verhältnis zueinander. Von Gott her muß man darum theologisch sagen: Der Mensch ist das Wesen, das entsteht, wenn Gott sich in der Menschwerdung selbst mitteilt. Vom Menschen her muß man anthropologisch sagen: Der Mensch ist dasjenige Wesen, das zu sich selbst kommt, wenn es sich an das unbegreifliche Geheimnis Gottes hingibt. Diese allgemeine, konstitutive Selbsttranszendenz des Menschen kommt darum zu ihrem wahren Vollzug und ihrer Erfüllung in der Selbstmitteilung Gottes in Christus. In dieser Hinsicht ist die Menschwerdung Gottes „der einmalig *höchste* Fall des Wesensvollzuges der menschlichen Wirklichkeit"[45]. Die Immanenz Gottes im Menschen und die Transzendenz des Menschen in Gott fallen in Christus zusammen.

Rahner kann beide Seiten auch als „innerlich und äußerlich" und als „anonym und ausdrücklich" aufeinander beziehen und sagen, daß der Mensch in der Erfahrung seiner Transzendenz immer auch schon ein Angebot der göttlichen Gnade erfährt. „Die

---

[43] STh VI, 547.
[44] STh IV, 140.
[45] STh IV, 142.

Wortoffenbarung in Christus ... ist nur die Ausdrücklichkeit dessen, was wir immer schon aus Gnade sind." Daraus folgt, daß „die ausdrücklich christliche Offenbarung zur reflexen Aussage der gnadenhaften Offenbarung (wird), die der Mensch in der Tiefe seines Wesens schon immer unreflex erfährt"[46]. Die allen Menschen in Christus angebotene Selbstmitteilung Gottes ist das „Ziel der Schöpfung" und vollendet die Schöpfung. Darum, so folgert Rahner mit einer kühnen Drehung des Gedankens, ist auf der einen Seite Christsein nichts anderes als wahres, ausdrückliches Menschsein, und wahres Menschsein ist immer schon „anonymes" Christsein. Der Mensch, der zu seinem Wesen und seinem wahren Wesensvollzug kommt, ist Christ, ob er es weiß oder nicht, denn „er nimmt aber diese Offenbarung auch schon an, wenn er sich selbst wirklich *ganz* annimmt, denn sie spricht schon *in* ihm"[47]. „Er übernimmt in diesem Ja zu sich selbst die Gnade des uns radikal nahegekommenen Geheimnisses"[48], und das ist es, was wir mit dem Namen „Gott" nennen.

Der Universalanspruch des Christentums wird von Rahner dadurch aufgerichtet, daß er das Christsein als das „ausdrückliche" Menschsein und das wahre Menschsein als das „anonyme" Christsein darstellt. Er beschreibt das Selbstsein des Menschen und das Sein Gottes als ein „Geheimnis" und meint damit sowohl ihre Undefinierbarkeit wie ihre Unergründlichkeit. „Rätsel" kann man lösen, Geheimnisse aber muß man schweigend achten und ehren. Indem Rahner alle bekannten Definitionen und Namen Gottes und des Menschen überholt und auf die je größere Undefinierbarkeit und Unbenennbarkeit verweist, erreicht er eine universale Zustimmungsfähigkeit seiner theologischen Aussagen, denn im unbestimmbaren Negativen sind eher Zustimmungen zu erreichen als mit den Fixierungen auf positive Aussagen. Im Schweigen vor dem unendlichen, unergründlichen Geheimnis entsteht eine größere Gemeinschaft als in der Rede, die nur zu rasch zur Widerrede reizt. Mit seiner These von den „anonymen Christen" öffnet Rahner die Grenzen der Kirche für

---

[46] STh VI, 549.
[47] Ebd.
[48] STh VI, 550

die Menschen der modernen Welt. Er überwindet den sektiererischen Rückzug der Kirche auf sich selbst. Aber er bestimmt das „wahre Menschsein" natürlich vom Christsein her. Ist wahres Menschsein „anonymes Christsein", dann ist auf der anderen Seite Christsein „ausdrückliches Menschsein" und damit auch sein Maßstab. Rahner kann damit wohl die universale Bedeutung des partikularen Christseins klarmachen, nimmt er aber auch den Pluralismus der Religionen und die Religionsfreiheit der modernen Welt ernst? Wird die christliche Existenz nicht überfordert, wenn sie selbst schon die universale Wahrheit des Menschseins darstellen soll? Ist das nicht der alte Absolutheitsanspruch, an dem so viele Christen gescheitert sind und an dem auch der Kirche ihre eigene Unvollkommenheit schmerzlich bewußt wurde? Gibt es nicht neben der christlichen Existenz je auf ihre Weise auch die jüdische Existenz und die menschliche Existenz in anderen Religionen als „ausdrückliches Menschsein"?

Wie R. Bultmann, so stellt sich auch K. Rahner mit großer Offenheit dem Anspruch des modernen Menschen auf „intellektuelle Redlichkeit". „Zufällige Geschichtswahrheiten können der Grund für notwendige Vernunftwahrheiten nie werden", hatte am Beginn der Aufklärung G. E. Lessing kritisch gegen den Christusglauben eingewandt. Rahner nimmt diesen Vorwurf auf. Es ist für den heutigen Menschen nicht „einfach glaubwürdig, daß das Ereignis der Menschwerdung gerade nur einmal sich ereignet haben soll"[49]. Darum fragt er nach dem Allgemeinen in jenem historisch einmaligen Ereignis, und entwickelte seine Lehre von dem Menschen als der „Idee Christi"[50]. Was entspricht der zufälligen Geschichte Christi in der inneren Subjektivität jedes Menschen? Es ist die „Idee Christi", nämlich die vorgängige Offenheit des Menschen für die Erscheinung des menschgewordenen Gottes. Was sich in jener Geschichte äußerlich ereignet hat, findet seine Entsprechung und seinen Anklang in unserer inneren Selbsterfahrung. Die „Idee Christi" regt sich im Menschen, sofern er Ausschau hält nach der höchsten und zugleich freien Erfüllung seines Wesens. Rahner entdeckt in der inneren Selbst-

[49] STh I, 219.
[50] STh I, 207.

transzendenz der Menschen eine Art „anonymer" oder „suchender Christologie". Gäbe es diese Idee Christi in der Konstitution des Menschseins nicht, dann wäre kein Mensch in der Lage, Jesus als den Christus zu erkennen und ihm zu glauben. Diese Idee Christi in jedem Menschen vorauszusetzen ist die Grundvoraussetzung jeder christlichen Theologie, denn das in Christus offenbare Geheimnis ist auch das Geheimnis der Schöpfung. Die Natur jedes Menschen ist auf die Gnade angelegt, weil die Gnade diese Natur voraussetzt. Darum bezeichnet Rahner die Christologie als „transzendierende Anthropologie" und die Anthropologie als „defiziente Christologie" [51]. Der Mensch ist „sich selbst ein Geheimnis, immer über sich weg in das Geheimnis Gottes hinein", und Jesus, der Gottmensch, teilt uns sein Geheimnis mit, indem er teilnimmt an unserem Dasein. Sein Geheimnis besteht in der namenlosen, unendlichen, unerschöpflich-verschwenderischen Liebe Gottes. Wir nehmen an ihm teil, sofern wir in seinem Geheimnis die Macht finden, der gegenüber uns freie Selbsthingabe möglich wird. So gehen „die Erfahrung von innen und die Botschaft von außen aufeinander zu" [52]. Diese Korrespondenz ist auch an Jesus selbst zu sehen: Auf der einen Seite ist „Jesus der Mensch, der die einmalige, absolute Selbsthingabe an Gott lebt" [53]; auf der anderen Seite impliziert diese Hingabe des Menschen an Gott die „absolute Selbstmitteilung Gottes" an den Menschen.

Die „Christologie von oben", die von der Menschwerdung Gottes ausgeht, entspricht genau der „Christologie von unten", die von dem Gottesbewußtsein und der Hingabe Jesu an Gott ausgeht. Der sich Gott übereignende Mensch und der sich an die Menschen entäußernde Gott sind im Gottmenschen Jesus Christus eins. Genau diese gott-menschliche Struktur findet Rahner dann im Verhältnis von Christologie und Anthropologie wieder: Christus ist nicht nur die Herabkunft Gottes, sondern auch der Aufstieg und die Zukunft des Menschen. Die Menschwerdung Gottes und des Menschen ist der Höhepunkt der Heilsgeschichte

---

[51] STh I, 184, Anm. 1
[52] STh III, 39.
[53] STh I, 193.

und der Evolution zugleich. Mit der Aufnahme der Grundgedanken moderner Evolutionstheorien erweitert Rahner – anders als Bultmann – seine Anthropologie um die Kosmologie. „Selbsttranszendenz" ist eines der Strukturprinzipien der Selbstorganisation der Materie und der offenen Lebenssysteme. Von der Materie zum Leben, zum Bewußtsein, zum Geist, führt der Weg der sich selbst transzendierenden Evolution. Der Mensch als Geistwesen kann als die „Selbsttranszendenz der lebendigen Materie"[54] verstanden werden. In theologischer Interpretation reicht seine Selbsttranszendenz ihrerseits an das Geheimnis Gottes und ist auf das Christusgeschehen ausgerichtet, in welchem die Hingabe an Gott und Gottes Selbstmitteilung sich ereignen. Von diesem Ziel aus gesehen ist das Ziel der Evolution dann die Selbstmitteilung Gottes an die Welt[55]. Auf Grund dieser Weltanschauung hat Rahner in vielen Gesprächen mit Marxisten und Naturwissenschaftlern Gott als „die absolute Zukunft" verkündet und alle relativen Zukünfte der menschlichen Ziele und Hoffnungen auf das Geheimnis dieser absoluten Zukunft bezogen. Die christliche Theologie weiß nicht mehr von der Zukunft als andere Wissenschaften und Ideologien, sondern weniger, weil sie in der „absoluten Zukunft" der Welt das Geheimnis Gottes achtet und durch Kritik an Utopien und Ideologien zu ehren lehrt.

Rahners Theologie der Vermittlung an die anthropozentrisch gewordene Welt und an die unergründliche Subjektivität des modernen Menschen hat ihre Stärke darin, daß sie die ganze christliche Tradition vermittelt und nichts preisgibt und daß sie mit der Betonung der mystischen Tiefendimension des christlichen Glaubens anspruchsvoll und nicht zu herabgesetzten Preisen vermittelt. In dieser ihrer Stärke liegt freilich auch eine Schwäche der Position Rahners. Angesichts der berechtigten kritischen Fragen des modernen Geistes an die mittelalterliche Gestalt des Christentums muß es nicht nur zu Vermittlungen, sondern auch zu Revisionen der christlichen Tradition kommen. In der These von den „anonymen Christen" außerhalb der christlichen Kirche

---

[54] STh V, 194.
[55] Vgl. STh V, 201.

könnte ja auch eine verborgene Absicht der Vereinnahmung alles wahrhaft Menschlichen durch die Kirche liegen. Humanisten, die sich gegen das ihnen bekannte Christentum ausgesprochen haben, möchten vielleicht gar nicht als „anonyme Christen" bezeichnet werden, so wenig wie glaubende Christen sich als „anonyme Buddhisten" ansprechen lassen möchten. Kann man „anonym", ohne den Namen Christi zu nennen und zu bekennen, Christ sein? Ist ausgesprochenes Christsein schon wahres Menschsein? Wäre es so, dann läge im Christsein tatsächlich eine universale Bedeutung und auch ein Universalanspruch auf alles wahrhaft Menschliche. Das aber würde den Verdacht nicht entkräften, daß in dieser inklusiven Offenheit des Christseins für alles wahrhaft Menschliche der alte Herrschaftsanspruch der Kirche auf die Welt in veränderter Form vertreten wird. Gibt es aber nicht neben der christlichen Existenz in der Geschichte Gottes mit der Menschheit auch die *jüdische Existenz* als Zeuge der Gerechtigkeit und der Zukunft Gottes? Muß nicht deshalb die Kirche Christi aus theologischen Gründen neben sich in der Heilsgeschichte der Welt zuerst *Israel* als Gottes Volk anerkennen? Darf sie dann gläubige und gerechte Juden als „anonyme Christen" bezeichnen?

Ich glaube, dies geht nicht. Darum würde ich vorschlagen, von Christsein und Menschsein und von Kirche und Welt differenzierter zu reden. Es dürfte sogar im Sinne Rahners sein, wenn wir zuerst die eschatologische Differenz zwischen Kirche Christi und Reich Gottes, sowie zwischen dem gegenwärtigen Reich der Gnade und dem zukünftigen Reich der Herrlichkeit Gottes stärker hervorheben: Die Kirche ist noch nicht das Reich Gottes selbst, sondern erst Vermittlung, Wegbereitung und Zeuge des kommenden Reiches. Auf diesem Wege entdeckt sie neben sich Israel als die andere Vermittlung, Wegbereitung und Bezeugung des kommenden Reiches Gottes[56]. Das kommende Reich Gottes wird nach der Hoffnung der Propheten und Apostel als die Neue Schöpfung verstanden, der die Gerechtigkeit Gottes einwohnt. Darum wird nach dieser Hoffnung auch das Menschsein erst

---

[56] *J. Moltmann,* Christsein, Menschsein und das Reich Gottes, Stimmen der Zeit, 203, 9, 1985, 619–631.

vollendet in jener neuen Schöpfung. Das Reich Gottes ist auch das wahrhaft menschliche Reich der Menschen, die der Gegenwart Gottes entsprechen. Das Reich Gottes ist nicht zuletzt das Reich des Friedens der ganzen Kreatur: „es wird kein Leid, kein Schmerz, kein Geschrei mehr sein, und der Tod wird nicht mehr sein ..." (Offb 21,4). Ist dies das Vollendungsziel, dann kann man nicht sagen, daß schon die Gnade die Natur vollendet: sie bereitet sie vielmehr auf die kommende Herrlichkeit vor und „vollendet" sie nur erst in diesem Sinne. Dann kann man auch nicht sagen, daß die Menschwerdung Gottes in Christus das Ziel der Schöpfung sei: die Menschwerdung Christi bereitet die Schöpfung vielmehr auf die kosmische Einwohnung der Herrlichkeit Gottes vor und „vollendet" die Schöpfung in diesem Sinne. Christsein ist darum als die Vorwegnahme des wahren Menschseins unter den Bedingungen der unvollendeten Geschichte und dieser unerlösten Welt anzusehen. Christsein ist ein „Weg Gottes" zu dem Ziel der Vollendung der Welt.

Die neuere, stärker *eschatologisch orientierte Theologie* hat, von Barth und Rahner ausgehend, diese Differenzen und Ausrichtungen besonders im Blick auf Israel betont. Die neuere, mehr *politisch orientierte Theologie* hat, auf Barth und Rahner aufbauend, die von Rahner so genannten „anonymen Christen" konkret benannt und sie in den „Armen, Hungrigen, Kranken, Durstigen und Gefangenen" von Mt 25 entdeckt, die von Christus „seine geringsten Brüder und Schwestern" genannt werden und in denen er selbst anwesend sein will, um auf die Taten der Gerechten zu warten: „Was ihr einem von ihnen getan habt, das habt ihr mir getan." Ist in ihnen Christus selbst präsent, dann folgt daraus notwendig die „vorrangige Option" der Kirche „für die Armen". Durch die Parteinahme der Kirche für die Armen werden diese aus der Anonymität herausgeholt, in die sie abgedrängt wurden. Die Armen bringen ihrerseits die glaubenden Christen in die besondere Gemeinschaft Christi, in der die Armen schon leben.

Nicht so sehr die *Partikularität* der Kirche in der modernen, pluralistischen Gesellschaft ist ihr dringendes Problem heute, sondern die überzeugende *Parteilichkeit* der Kirche für die Armen und Unterdrückten dieser modernen Gesellschaft. Nicht der bürgerliche *Liberalismus* in der Ersten Welt stellt die Theologie vor die fundamentalen Probleme ihrer Vermittlung und Vergegenwärtigung, sondern die *Befreiung* des armen und sterbenden Volkes in der Dritten Welt und in den verdrängten Schichten der modernen Gesellschaft in der Ersten Welt.

3.
Kulturtheologie:
Paul Tillich und die religiöse Deutung
der säkularen Welt

Es war *Paul Tillich* (1886–1965), der wie kein anderer zeitgenössischer Theologe die Aufgabe der „Vermittlung" der christlichen Botschaft an die moderne Welt angenommen und für sie eine eigene Methode, die „Korrelationsmethode", entwickelt hat. Seine „Systematische Theologie" (1951) gründet auf dieser Methode, und die Fülle seiner Aufsätze zur religiösen Deutung der Kultur, der Kunst, der Wissenschaft und Politik zeigt die Fruchtbarkeit seines Ansatzes [57]. Tillich akzeptiert die Säkularisierung der modernen Welt. Er bejaht die Autonomie des modernen Menschen. Er lehnt jede klerikale Heteronomie und jeden christlichen Herrschaftsanspruch ab. Er will aber dem autonomen Menschen die Tiefe der Theonomie seines Daseins erschließen und die religiöse Dimension der modernen Kultur aus ihren Verdrängungen und Fehlbesetzungen wieder freisetzen. Obgleich für Tillich die Theologie „eine Funktion der Kirche" ist, ist seine Theologie doch eine echte Kulturtheologie, denn die Kultur, mit der die Menschen zu allen Zeiten und an jedem Ort auf die Fragen ihrer Grundsituation antworten, indem sie sich Formen des Lebens geben, ist für ihn der wirkliche Träger des Religiösen und die allgemeinste Manifestation des Absoluten: Religion ist die Substanz der Kultur – Kultur ist die Form der Religion.

Es ist die Aufgabe des Theologen, die Wahrheit der christlichen Botschaft auszulegen und für jede Generation neu zu deu-

---

[57] *P. Tillich,* Die religiöse Substanz der Kultur. Schriften zur Theologie der Kultur, Gesammelte Werke, IX, Stuttgart 1967.

ten[58]. Er steht also in der Spannung zwischen der ewigen Wahrheit und der Zeitsituation, in der diese Wahrheit aufgenommen werden soll. Der Konservativismus ist im Irrtum, wenn er sich an die vermeintliche „zeitlose" Wahrheit klammert, denn diese begegnet nicht zeitlos, sondern immer nur als die „Wahrheit von gestern" in der Form, wie sie von Menschen in früheren Zeiten verstanden und aufgenommen wurde. Der Liberalismus ist im Irrtum, wenn er die christliche Identität aufgibt und sich nur noch mit den religiösen Fragen der Gegenwart beschäftigt. Die wahre Aufgabe der Theologie liegt in der Korrelation von Tradition und Situation, denn Theologie ist immer „antwortende Theologie": „Sie antwortet auf Fragen, die die Situation stellt, und sie antwortet in der Macht der ewigen Botschaft und mit den begrifflichen Mitteln, die die Situation liefert, um deren Fragen es sich handelt."[59]

Tillich kritisiert darum sowohl die „Theologie der Diastase", die er bei Karl Barth zu sehen glaubt, wie auch die „Theologie der Synthese", wie sie E. Troeltsch entwarf. Zwischen beiden liegt für ihn die lebendige Methode der Korrelation, die Botschaft und Situation so aufeinander bezieht, daß keine von beiden beeinträchtigt wird, sondern die Fragen, die in der Situation enthalten sind, auf die Antworten, die in der Botschaft enthalten sind, bezogen werden und umgekehrt. Im lebendigen Wechselspiel von Frage und Antwort werden Botschaft und Situation wechselseitig gedeutet und so vereinigt. Um welche „Fragen der Situation" aber handelt es sich in der theologischen Korrelation? Es handelt sich nicht um die vorletzte, sondern nur um die letzte, nicht um die bedingte, sondern nur um die unbedingte Frage, nämlich um die „existentielle Frage" nach dem Grund des Daseins und dem Sinn des Lebens. Wird diese Frage herausgearbeitet, dann erkennt man, worauf Gott in seiner geschichtlichen Offenbarung antwortet. Die Methode der Korrelation von Botschaft und Situation gründet nach Tillich in der ontologischen Korrelation von Gott und Mensch: „Gott antwortet auf die Fragen des Menschen, und unter dem Eindruck von Gottes Antwor-

---

[58] Vgl. Systematische Theologie, I, Stuttgart 1955, 9.
[59] Ebd. 12.

ten stellt der Mensch seine Fragen."[60] Die Theologie muß darum die in der menschlichen Existenz beschlossenen Fragen aufdekken und sie im Blick auf Gott formulieren, und sie muß die in der göttlichen Selbstoffenbarung liegenden Antworten in Richtung auf die Fragen formulieren, die in der menschlichen Existenz liegen. Die Einheit beider liegt außerhalb der Geschichte. Darum bleibt die geschichtliche Aufgabe unvollendbar. Existentielle Fragen sind Fragen, die das Ganze der menschlichen Existenz betreffen: „Nur wer die Erschütterung der Vergänglichkeit erfahren hat, die Angst, in der er seiner Endlichkeit gewahr wurde, die Drohung des Nichtseins, kann verstehen, was der Gottesgedanke meint. Nur wer die tragische Zweideutigkeit unserer geschichtlichen Existenz erfahren hat, ... kann begreifen, was das Symbol des Reiches Gottes aussagen will."[61]

Die existentielle Frage ist keine Frage, die Menschen haben oder nicht haben; der Mensch selbst *ist* diese Frage, bevor er sie stellt. Das Menschsein ist die Frage, die Religionen und Kulturen sind die geschichtlichen und darum immer überholbaren Antworten. Menschsein ist deshalb existentiell fraglich, weil es nicht in sich selbst, sondern in einem anderen begründet ist und sich von diesem Grund entfremdet hat. Wo aber das Sein selbst im Dasein erscheint und Menschen das finden, was sie „unbedingt angeht" und sie bedingungslos trägt, da kann man von der göttlichen Antwort auf die Fraglichkeit des Menschseins sprechen. Tillich formuliert darum den Gegenstand der Theologie in der alten „Gott und die Seele"-Tradition von Augustin ebenso wie Rahner und Bultmann: „Der Gegenstand der Theologie ist das, was uns unbedingt angeht. Nur solche Sätze sind theologisch, die sich mit einem Gegenstand beschäftigen, sofern er uns unbedingt angeht."[62] Ausgeschlossen werden aus dieser transzendentalen Bestimmung der Theologie politische, soziale und kulturelle Anliegen, die uns nur bedingt, vorläufig und relativ angehen. „Die Theologie muß sich auf das richten, was uns unbedingt angeht, und darf keine Rolle in der Arena vorläufiger

---

[60] Ebd. 75.
[61] Ebd. 76.
[62] Ebd. 20 (im Original kursiv).

Anliegen spielen."[63] Denn „das, was uns unbedingt angeht", entscheidet über unser Sein oder Nichtsein.

Tillich verschafft sich eine fundamentaltheologische und apologetisch verwendbare Basis dadurch, daß er die besondere und überlieferte Geschichte Gottes auf die allgemeine, religiöse und metaphysische Dimension der menschlichen Existenz bezieht. Er faßt sie in die Kategorie dessen, „was uns unbedingt angeht", und nimmt damit Luthers Erklärung zum 1. Gebot auf, in der es heißt: „Das Trauen und Glauben des Herzens macht beide, Gott und Abgott ... denn die zwei gehören zuhauf, Gott und Glaube. Worauf du nun dein Herz hängst und verläßt, das ist eigentlich dein Gott."[64] Was einen Menschen unbedingt angeht, wird für ihn zum Gott oder zum Götzen. „Gott" ist die Antwort auf die Frage, die in der Endlichkeit des Menschen liegt und der Name für das Unbedingtangehende. Diese Stelle kann aber auch durch Götzen und vergötterte Endlichkeiten wie Geld, Rasse, Nation usw. besetzt werden. Mit der Unterscheidung zwischen den Bildern, Vorstellungen und Namen des Göttlichen und dieser fundamentalanthropologischen Kategorie des Unbedingtangehenden antwortet Tillich auch auf die marxistische Religionskritik. Die Gottesbilder und -vorstellungen sind gewiß menschliche Projektionen, aber der Bildschirm, der die Projektionen einlädt und empfängt, ist keine Projektion. Er „ist das Unbedingte in Sein und Sinn ... das, was uns unbedingt angeht"[65]. Ernst Bloch hat dieses Argument von Tillich übernommen, um die marxistische Religionskritik nicht länger irreligiös, sondern religiös zu gestalten[66]. Tillichs Formulierung bringt aber die Gottesidee nur anthropologisch und in der Anthropologie nur transzendental zum Ausdruck: Die „Frage nach Gott" entspringt aus der menschlichen Selbsterfahrung. Diese ist die Erfahrung seiner Endlichkeit. Endlichkeit wird laut Tillich an der menschlichen Existenzbedrohung durch das Nichtsein und das Nichts selbst

---

[63] Ebd. 20.
[64] Bekenntnisschriften der Evangelisch-Lutherischen Kirche, Göttingen 1952, 560.
[65] *P. Tillich,* Systematische Theologie, I, 248.
[66] Vgl. *E. Bloch,* Das Prinzip Hoffnung, Gesamtausgabe Bd. V, Frankfurt 1959, 1529.

erfahren. Die Frage, die daraus entsteht, ist die Frage nach einem Sein, das diesem Nichtsein überlegen ist und es überwinden kann und dem Menschen kraft überwundener Angst „Mut zum Sein" dem Nichtsein zum Trotz gibt. Nur unendliches, kein endliches Sein kann im Menschen diesen Mut zum Sein aufrichten. Tillichs Religionsbegriff ist also ein „existentieller Religionsbegriff" [67].

Menschsein ist ein transzendentales „Fragezeichen". Dennoch kann das unendliche Sein dem Menschen nur in Gestalt der Endlichkeit, kann „das, was unbedingt angeht", nur in bedingten Manifestationen und Symbolen vermittelt werden. Der inneren „Selbsttranszendenz", wie gleichlautend mit Rahner auch Tillich formuliert [68], entspricht die Manifestation des unendlichen Seins in der Endlichkeit; ja diese menschliche Selbsttranszendenz ist selbst schon eine Manifestation des „Sein-Selbst", denn die unauflösliche Beziehung alles Endlichen zum Sein-Selbst zeigt sich im unendlichen Streben des endlichen Seins [69]. Weil Tillich die bedrohte und transzendierende Endlichkeit des Menschen mit dem psychologischen Begriff der „Angst" deutet, kann er auf der anderen Seite das im Sein-Selbst begründete endliche Sein als „ontologischen Mut zum Sein" bezeichnen, um den Akt des Gottesglaubens und des Gottvertrauens jedermann anthropologisch verständlich zu machen.

Die besondere christliche Botschaft interpretiert Tillich unter den angegebenen Voraussetzungen: Daß Gott sich selbst in Jesus Christus offenbart hat, bedeutet die Schöpfung eines neuen Seins unter den Bedingungen der von ihrem Ursprung entfremdeten menschlichen Existenz. Jesus als der Träger des neuen Seins ist den Bedingungen der Endlichkeit, Angst, Tragik, Konflikt und Tod unterworfen, „aber er hält siegreich die Einheit mit Gott aufrecht, er opfert das, was nur Jesus in ihm ist, für das, was ihn zum Christus macht" [70]. Dadurch schafft er das neue Sein, dessen geschichtliche Verkörperung die Kirche darstellt. Gegenstand des Unbedingtangehenden ist darum nicht die Kirche

---

[67] Vgl. *P. Tillich,* Systematische Theologie I, 244.
[68] Vgl. Ebd. 222 ff.
[69] Vgl. Ebd. 224.
[70] Die religiöse Substanz der Kultur, GW IX, 100.

selbst, sondern der, den die Kirche bezeugt. Sie bezeugt ihn mit existentiellem Anspruch, d. h. als „Mut zum Sein" überall und zu jeder Zeit.

Aus dem *existentiellen Religionsbegriff* folgt die Aufhebung der Trennung von heilig und profan in der Kultur. Religion ist eine Dimension in aller Kultur. Ist Religion das, was uns unbedingt angeht, dann ist sie nichts Geringeres als die „sinngebende Substanz der Kultur", und die Kultur ist „die Gesamtheit der Formen, in denen das Grundanliegen der Religion seinen Ausdruck findet"[71]. Die Kultur ist die Form der Religion, und die Kirche hat dies zu bezeugen, aber nicht die Religion für sich selbst zu reservieren. Der Leib des Glaubens ist für Tillich nicht die Kirche, sondern die Kultur. Darin folgt er dem liberalen Protestantismus, wie ihn R. Rothe im 19. Jahrhundert vertreten hatte, und entwickelt seine *Theorie von der „latenten Kirche"*, um diese These zu beweisen, die Rahner in seiner Theorie der „anonymen Christen" auf seine Weise übernahm: Der existentielle Religionsbegriff respektiert, aber transzendiert den kirchlichen Religionsbegriff, denn er anerkennt die Tatsache, daß es außerhalb der Kirche viele künstlerische und prophetische Ausdrucksweisen der Kultur für das, „was uns unbedingt angeht", gibt. Es sind die „Glieder der latenten Kirche", die solches schaffen. Sie müssen von den Gliedern der „manifesten Kirche" anerkannt werden. Die „manifeste Kirche" muß mit der Existenz der in der Kultur „latenten Kirche" rechnen, auf ihre Kritik hören, ihre Inspiration übernehmen und deren Verirrungen ihrerseits kritisieren. In diesem Zusammenhang sagt Tillich: „Die Kirche hat die prophetische Stimme im Kommunismus nicht gehört und dessen dämonische Möglichkeiten nicht erkannt."[72] Mit Hilfe dieser Theorie der außerhalb der manifesten Kirche in der Kultur „latenten Kirche" versucht Tillich wie nach ihm Rahner das besondere Anliegen des Christentums zu universalisieren. Im Grunde genommen aber hatte er schon im Ansatz Religion weniger auf Kirche, als vielmehr auf Kultur bezogen. Kunst hat eine Tiefendimension, moderne Technik und Zivilisation haben dieselbe

---

[71] Ebd. 101.
[72] Ebd. 109.

90

Tiefendimension. Auch in der modernen Kultur ist Religion kein Fremdkörper und kein Relikt der Vergangenheit, sondern lebendiger Ausdruck dessen, „was uns unbedingt angeht", und damit der verborgene, wenngleich oft geleugnete Grund auch der modernen Kultur.

Wie ist das zu beweisen? Tillich sieht die dominierende Idee der modernen Kultur in der Naturbeherrschung. Die Macht der Wissenschaften und Techniken weitet sich immer mehr aus. Durch ihre Faszination verlor jedoch der moderne Mensch „die Dimension der Tiefe". Seine Wirklichkeit verlor ihre „innere Transparenz für das Ewige". Zugleich wurden die Erfahrungen der menschlichen Endlichkeit, Angst, Schuld, Tragik und Tod aus der modernen Kultur verdrängt. Der wissenschaftlich-technische Fortschritt wurde zum Götzen der modernen Welt. Dennoch regte sich seit Beginn der Industriegesellschaft der existentielle Protest. Nicht der kirchliche Konservativismus, nicht der aufgeklärte Liberalismus, sondern der – im weitesten Sinne des Wortes verstandene – Existentialismus wurde zum religiösen Protest gegen den Geist der Industriegesellschaft mitten in der industriellen Gesellschaft selbst. Diese existentialistische Gegenkultur in der Industriekultur wird von der echten Kulturtheologie aufgenommen und als die Situation des Menschen gedeutet, damit die Botschaft von Christus, dem neuen Sein, auf diese Situation des Menschen bezogen werden kann. Dieses Beispiel zeigt deutlich Tillichs Methode der Kulturtheologie: Die existentielle Analyse dringt durch die oberflächlichen Tagesfragen hindurch auf die existentiellen Fragen, die aus der Erfahrung der menschlichen Endlichkeit entspringen. Sie wird meistens schon durch die Vertreter der „latenten Kirche", durch die wahrhaftigen und schöpferischen Menschen außerhalb der Kirche geleistet. Die Theologie der Kultur knüpft an sie an und vertieft sie, um die Christusbotschaft vom „neuen Sein" auf die Situation der Menschen in der modernen Kultur zu beziehen. Die kirchliche Theologie muß sich zu einer solchen Kulturtheologie öffnen, und die „manifeste Kirche" muß diese „latente Kirche" in der Kultur anerkennen. Nur dann kann die manifeste Kirche den Absolutheitsanspruch Gottes bzw. dessen, „was uns unbedingt angeht", öffentlich vertreten, ohne sich selbst absolut zu setzen. Nur dann kann die Kirche die wahre Theonomie der Kultur offenbaren, ohne in die hilflosen Anstrengungen einer klerikalen Heteronomie zu verfallen oder sich vor der modern behaupteten Autonomie der Kultur zurückzuziehen: Theonome Kultur ist eine Kultur, die vom göttlichen Geist bestimmt und auf ihn ausgerichtet ist; der göttliche Geist ist die Erfüllung des menschlichen Geistes[73].

Tillichs Programm einer kirchlich begründeten und universal verantworteten Kulturtheologie ist sehr faszinierend. Er beschränkt aber seine Situationsanalyse auf die Analyse der existentiellen Situation des Menschen. Darum kommt jede Analyse zum gleichen Ergebnis. Ob die moderne Kultur, die mittelalterliche Kultur oder die Steinzeitkultur analysiert werden, in ihrer „Tiefendimension" ist sich jede menschliche Situation gleich. Vor dem, „was uns unbedingt angeht", steht jede menschliche Existenz vor der ewigen Frage nach „Sein oder Nichtsein". Die zeitliche Situation, der Tillich die christliche Botschaft vermitteln will, ist für ihn nichts anderes als die Situation der Zeitlichkeit des Menschen, die aber ist zeitlos und wandelt sich nicht. Die vom Nichtsein bedrohte Endlichkeit des Menschen ändert ihr Wesen in der Zeit nicht. Tillichs Aktualismus ist ein nur scheinbarer, denn seine metaphysische Theologie gilt zu allen Zeiten und seine Korrelationsmethode vermittelt nur das, was immer ist: Das Sein-Selbst und das endliche Sein.

Dennoch muß man Tillichs Vermittlung des Glaubens und die Erfahrung göttlicher Gnade und Rechtfertigung als gelungen bezeichnen. „Glaube" ist für ihn keine dogmatische Überzeugung und auch kein religiöses Gefühl, sondern das „Ergriffensein" der ganzen Person von dem, „was uns unbedingt angeht"[74]. Und weil die Erfahrung des drohenden Nichtseins ist, führt jene Ergriffenheit zu einem neuen „Mut zum Sein"[75]. Tillich führt den Begriff des „Mutes" zur Beschreibung des Glaubens ein, um den Wagnischarakter des Glaubens und die Dimension der Lebensbejahung im Glauben zu betonen: Glaube ist der Mut zur Selbst-

[73] Vgl. ebd. 82–93.
[74] Wesen und Wandel des Glaubens, Weltperspektiven Bd. 8, Berlin 1961, 9
[75] Der Mut zum Sein, Hamburg 1953.

bejahung trotz der Mächte des Nichtseins. Der Glaubensmut verleugnet nicht, daß Zweifel da sind, sondern bejaht sie als Ausdruck der Endlichkeit, weil er trotz der Zweifel das Unbedingtangehende bejaht. Das ist aber nur möglich, wenn der Glaubende jene Gotteserfahrung macht, die man früher als Gnade oder als Rechtfertigung des Sünders beschrieben hatte. Tillich übernimmt eine psychoanalytische Kategorie und nennt es die Erfahrung der „Annahme"[76]. Daß ein Mensch trotz seiner Zweifel und seiner Unannehmbarkeiten sich als von Gott „angenommen" erfährt, ist Gnade. Daß er daraufhin sich selbst annehmen, bejahen und lieben kann, ist Glaube. Darum formuliert Tillich diese Erfahrung als „Selbstannahme trotz aller Unannehmbarkeiten, weil angenommen von Gott". Eine solche Glaubenserfahrung überwindet nicht nur die menschliche Selbstüberheblichkeit, sondern auch den menschlichen Selbsthaß und hebt die Verdrängungen im Unterbewußtsein auf. Sie hat therapeutische Kraft.

Das ist von eminenter Bedeutung für die Menschen der modernen Welt. Je mehr diese Welt zur Welt des Menschen wird, so hatten wir gesagt, desto mehr wird sich der Mensch selbst zur Frage, die er nicht mehr beantworten kann. Der moderne Verlust des Selbst spiegelt sich in den Massendepressionen ebenso wider wie in dem Zwang, sich selbst durch Arbeit und Leistung bestätigen zu müssen. Mit analytischem Gespür hat Tillich dieses innere Problem des modernen Menschen erfaßt. Er kann aber die „Rechtfertigung allein aus Gnaden durch den Glauben" nur der inneren Selbsterfahrung der Person vermitteln, nicht aber auch jener Welt, die solche Selbsterfahrungen bei den Personen hervorruft, die in ihr leben. Nach den biblischen Traditionen aber entspricht dem schöpferischen und gerechten Gott allein eine neue, gerechte, weil zurechtgebrachte Welt. Die gerechtfertigte, in Gnaden angenommene und mit dem Mut zum neuen Sein inspirierte Person kann sich nur als der Anfang dieser neuen gerechten Welt verstehen. Die sozialen, politischen und kosmischen Dimensionen der Gerechtigkeit und des Reiches Gottes treten jedoch in Tillichs Vermittlungstheologie hinter der Beto-

---

[76] Systematische Theologie, III, Stuttgart 1966, 258.

nung der menschlichen Personalität zurück. Wie auch Bultmann und Rahner übernimmt er die Subjektivitätserfahrung des modernen Menschen und vermittelt aus der christlichen Tradition vornehmlich die subjektbezogenen Gehalte des persönlichen Glaubens. Er stellt die sozialen Bedingungen und die politischen Grenzen dieser modernen Subjektivitätserfahrung nicht in Frage. Die vermittelte christliche Tradition paßt ohne Abstriche und Widersprüche in die „bürgerliche Religion" der modernen Welt und ihren banalen Grundsatz: „Religion ist Privatsache".

4.
Die Politische Theologie und die unvollendete Neuzeit

Der Fortschrittsglaube der modernen Welt in Europa und Amerika zerbrach im Terror der beiden Weltkriege des 20. Jahrhunderts. Allein die revolutionären sozialistischen Bewegungen führten ihn weiter. Gegen sie entstanden jedoch die faschistischen Diktaturen in der westlichen Welt. In den Greueln von Auschwitz und von Hiroshima ging nicht nur der Glaube an Gott, sondern auch das Selbstvertrauen der Menschen verloren. „Gott ist tot" war Ausdruck für den Atheismus im 19. Jahrhundert. „Der Mensch ist tot" wurde zum Ausdruck für den Nihilismus des 20. Jahrhunderts. Diesem inneren, geistigen Zerfall der bürgerlich-christlichen Welt entsprach der äußere, politische Zerfall der europäischen Kolonialreiche und die Befreiung der unterdrückten, ausgebeuteten Völker in Lateinamerika, Afrika und Asien. Jener innere Zerfall entspricht auch der bisher unaufhaltsam um sich greifenden ökologischen Krise der industriell ausgebeuteten und zerstörten Natur der Erde. Der Zukunftsoptimismus, der die wissenschaftlich-technische Zivilisation mobilisiert hatte, schlägt angesichts dieser nichtwiedergutzumachenden Verwüstungen, die sie angerichtet hat, in Katastrophenfatalismus um. In der Situation einer derartigen Ambivalenz der Moderne ist es nicht hilfreich, die christliche Botschaft allein auf die freigesetzte Subjektivität des modernen Menschen zu beziehen, wie es Bultmann, Rahner, Tillich und viele andere moderne Theologen so eindrucksvoll getan haben. Man muß auf die

Grundlagen und Zielsetzungen dieses riskanten Projektes der modernen Welt eingehen, denn die Grundlagen und Ziele selbst sind so fragwürdig geworden, daß die Menschheit ohne eine Umkehr ihrer Zielsetzungen und Methoden nicht überleben kann. Innerhalb der Grenzen der „bürgerlichen Religion" dieser so gefährlich gewordenen Gesellschaft hat das Christentum jedenfalls keine Chancen, die kritischen, befreienden und heilenden Potenzen seiner Botschaft zu entfalten.

Die Kirchen und viele Christen haben im 20. Jahrhundert Erfahrungen des Widerspruchs, des Widerstands und der Verfolgung machen müssen, wie in kaum einem früheren Jahrhundert ihrer Geschichte. Die Unterdrückung der Kirchen im Sozialismus der UdSSR, der Kirchenkampf im Faschismus, die Christenverfolgungen in lateinamerikanischen Diktaturen haben die alten Synthesen von Kirche und Staat und die alten Symbiosen von Christentum und Kultur aufgelöst. Diese modernen Erfahrungen des christlichen Glaubens rufen nach einer anderen „Theologie der Vermittlung", einer Theologie, die die christliche Botschaft nicht nur durch Anpassung, sondern auch durch Konfrontation vermittelt und nicht nur nach Entsprechungen, sondern auch nach dem notwendigen Widerspruch sucht. Die *Politische Theologie*[77] wurde zum Ansatzpunkt für eine ganze Reihe von Vermittlungstheologien dieser Art: Die Theologie der Revolution, die Theologie der Befreiung, die Schwarze Theologie, die feministische Theologie und andere, regional bestimmte, „kontextuelle" Theologien in Afrika und Asien. Eine ihrer theologischen Grundlagen findet sich in der „Theologie der Hoffnung", die die eschatologische Erlösung mit geschichtlichen Befreiungen vermittelt[78].

1. Unter den vier Grundfragen der Philosophie, die I. Kant formulierte, ist es erstaunlich, daß er die Frage: *„Was darf ich hoffen?"* an die Religion richtete. Bis dahin war Religion immer auf das Ewige gerichtet und auf Tradition gegründet. Mit dem

---

[77] Vgl. in Deutschland *J. B. Metz,* Zur Theologie der Welt, Mainz 1968; *D. Sölle,* Politische Theologie, Auseinandersetzung mit Rudolf Bultmann, Stuttgart (1971) 1982; *J. Moltmann,* Politische Theologie – Politische Ethik, München (1971) 1983.
[78] *J. Moltmann,* Theologie der Hoffnung, München ¹²1983.

Beginn der Neuzeit aber tritt die Zukunft in das Zentrum des menschlichen Geistes. Die religiöse Frage wird zur Frage der Hoffnung, der persönlichen, der sozialen und der universalen Hoffnung. Der moderne Geist erfährt die Welt nicht mehr als in sich geschlossene, natürliche Welt, sondern als zukunftsoffene Weltgeschichte, offen für Heil und Gefahr. Ist die Welt in Geschichte begriffen, dann entscheidet allein die Zukunft über ihr Schicksal. In Furcht und Hoffnung nehmen Menschen diese Zukunft geistig vorweg. Sie suchen nach Hoffnung in der Gefahr. „Die Zukunft" wurde darum zum modernen Paradigma der Transzendenz. Als man im 19. Jahrhundert noch selbstgewiß zu wissen glaubte, was der Mensch sei, und darum den Menschen zum Maß aller Dinge erklärte, entstand die anthropologische Religionskritik, wie sie Feuerbach, Marx, Freud und Nietzsche vertraten. Wird aber der gegenwärtige Mensch sich seiner selbst ungewiß und ungeheuer, dann kann er die Aufdeckung seines wahren Wesens nur von der Zukunft einer neuen Weltsituation erwarten, die ihm zur „Heimat der Identität" wird. Er wird darum die Traditionen der Vergangenheit nicht mehr nur auf seine gegenwärtige Situation, sondern auch auf seine Zukunft und die Zukunft der Welt beziehen und nach Hoffnungen in ihren Erinnerungen und also nach Zukunft in der Vergangenheit fragen. An die Stelle der alten anthropologischen Kritik und Beerbung der Religion tritt dann eine *Eschatologie der Religion* im Blick auf die Vollendung der Welt, die jene Hoffnung freisetzt, die in die religiösen Überlieferungen und Symbolen investiert ist.

Die biblischen Überlieferungen bieten sich für diese Sichtweise besonders an, weil sie die Grundlage der „abrahamitischen Religionen", Judentum, Christentum und Islam bilden. Diese abrahamitischen Religionen sind Religionen der Hoffnung und des Exodus. An ihrem Ursprung steht kein mythisches Urgeschehen, sondern der Exodus Abrahams aufgrund der Verheißung des ihm bis dahin unbekannten Gottes. Israel ist aus einer analogen Grunderfahrung des Exodus aus der Knechtschaft in Ägypten unter Mose aufgrund göttlicher Verheißung entstanden. Das Christentum ist aus der befreienden Botschaft Christi vom nahen Reich Gottes und aus der befreienden Botschaft der Apostel von der Auferweckung des gekreuzigten Christus in das ewige Leben entstanden. Israel und die Kirche Christi sind in ihrem Wesen Träger von Hoffnung und darum als messianische Religionen zu bezeichnen. An ihnen wird der messianische Tenor aller Religionen offenbar: „Wo Hoffnung ist, ist Religion"[79]. Sie machen den messianischen Charakter der geschichtlichen Befreiungen der unterdrückten und der leidenden Menschen offenbar. Darum stellte der scharfsinnige I. Kant an diese Religionen die ungewöhnliche Frage: „Was darf ich hoffen?" und erwartete von ihnen Antwort auf die Schrecken der Geschichte.

2. Das zweite Grundproblem, das die Neuzeit mit dem überlieferten Gottesglauben hat, ist theoretisch das *Theodizeeproblem,* praktisch das bodenlose Entsetzen über „Auschwitz" und die schreckliche Furcht vor dem jederzeit möglichen Massenmord der Menschheit in einem Atomkrieg. Im 19. Jahrhundert antwortete auf die Erfahrung des Leidens am Unrecht der *Protest-Atheismus* mit der Leugnung Gottes: „Schafft das Unvollkommene weg, dann allein könnt ihr Gott demonstrieren … Man kann das Böse leugnen, aber nicht den Schmerz; nur der Verstand kann Gott beweisen, das Gefühl empört sich dagegen. Merke dir es, warum leide ich? Das ist der Fels des Atheismus. Das leiseste Zucken des Schmerzes macht einen Riß in die Schöpfung von oben bis unten", schrieb damals der revolutionäre deutsche Dichter *Georg Büchner*[80]. Die unvergleichlich grauenhafteren Erfahrungen des 20. Jahrhunderts haben dagegen zu einer neuen Art *Protest-Theismus* geführt, d. h. einer Sehnsucht nach Gott auf Grund des Hungers nach Gerechtigkeit in der Welt: „Theologie ist … die Hoffnung, daß es bei diesem Unrecht, durch das die Welt gekennzeichnet ist, nicht bleibe, daß das Unrecht nicht das letzte Wort sein möge. Sie ist Ausdruck einer Sehnsucht danach, daß der Mörder nicht über sein unschuldiges Opfer triumphieren möge", erklärte *Max Horkheimer,* Begründer der „kritischen Theorie" in der „Frankfurter Schule", 1970[81]. Es gibt darum heute für viele Menschen nicht die atheisti-

---

[79] *E. Bloch,* Das Prinzip Hoffnung, 1404.
[80] *G. Büchner,* Dantons Tod, 3. Akt, Ges. Werke, München ³1982, 68.
[81] *M. Horkheimer,* Die Sehnsucht nach dem ganz Anderen, Hamburg 1970, 61 f.

sche Frage, ob man „nach Auschwitz" noch von Gott reden kann, sondern die ganz neue theistische Frage, von wem man „nach Auschwitz" denn sonst reden kann, wenn nicht von Gott. „Gott" wird für sie zum Wort des transzendentalen, unbedingten und alles bestimmenden Protestes gegen Auschwitz, gegen Hiroshima und gegen die drohende Selbstvernichtung der Menschheit. In dieser Hinsicht ist heute eine neue „Theologie des Kreuzes", des leidenden Gottes, des Schmerzes und der Liebe Gottes entstanden, welche Golgatha in den „Leiden dieser Zeit" und die Leiden dieser Zeit in Golgatha wiedererkennt[82].

3. Die „ökologische Krise", die zunehmende Zerstörung der natürlichen Umwelt, die steigende Vernichtung pflanzlicher und tierischer Arten und die Ausbeutung nichtregenerierbarer Ressourcen der Erde zeigt heute deutlich den Selbstwiderspruch, in den sich das Projekt der Moderne, die „wissenschaftlich-technische Zivilisation", gebracht hat[83]. Es handelt sich nicht nur um eine Krise in der erschöpften natürlichen Umwelt der menschlichen Kultur, die durch technische Mittel überwunden werden könnte, sondern um eine Krise des Lebenssystems der modernen Welt selbst. Durch menschliche Technologie wird die Natur unterworfen und ausgebeutet. Die modernen Naturwissenschaften liefern das Herrschaftswissen zur Unterwerfung der Natur. Die Grundwerte der modernen Gesellschaft, die diese Wissenschaften und Techniken hervorgebracht haben, heißen: Wille zur Macht, Fortschritt in der Anhäufung von Macht und Sicherung der Macht. Auch wenn der Fortschritts„glaube" verlorengeht, bleibt die moderne Industriegesellschaft doch auf Macht, Wachstum und Fortschritt programmiert. Die alten Werte der vorindustriellen Gesellschaften wie: Gleichgewicht, Ausgleich, Harmonie und Beheimatung der menschlichen Kultur in die sich

---

[82] *K. Kitamori,* Theologie des Schmerzes Gottes, Göttingen 1972; *J. Moltmann,* Der gekreuzigte Gott, München 1972; *E. Jüngel,* Gott als Geheimnis der Welt. Zur Begründung der Theologie des Gekreuzigten im Streit zwischen Theismus und Atheismus, Tübingen 1977.

[83] *A. Peccei,* Die Zukunft in unserer Hand. Gedanken und Reflexionen des Präsidenten des Club of Rome, Wien 1981; Studie des Club of Rome: The Limits of Growth, New York 1972; The Global 2000 Report to the President. Edited by the Council on Environmental Quality, Washington 1980.

selbst regenerierende Natur sind verdrängt worden. Damit aber steuert der „Fortschritt" die moderne, wissenschaftlich-technische Zivilisation mit tödlicher Sicherheit in immer größere Umweltkatastrophen und zuletzt in den universalen, ökologischen Tod alles Lebendigen auf der Erde. Die wesentliche religiöse Grundlage der modernen Expansion und Machtergreifung über die Natur war und ist eine mißverstandene Form der jüdisch-christlichen Religion mit ihrem ersten göttlichen Gebot an den Menschen: „Macht euch die Erde untertan" (Gen 1,28).[84] Im späten Mittelalter und im Zeitalter der Renaissance begann man, in Gott vornehmlich die „Allmacht" zu bewundern und zu verehren. Nicht seine Güte, sondern seine Übermacht wurde zur ausgezeichneten Eigenschaft seiner Göttlichkeit. Ist Gott, „der Allmächtige", Herr und Eigentümer der Welt, dann muß der Mensch als sein „Ebenbild" auf Erden alles tun, um zum Herrn und Eigentümer der Natur zu werden, denn nur durch seine Machtergreifung über die Erde kann der Mensch seinem Gott entsprechen. Hatte man bis dahin auch im Westen die Natur als „die Mutter alles Lebendigen" respektiert, so wurde sie nun zur „Sklavin" des Menschen degradiert und als „herrenloses Gut" dem ausgeliefert, der sich ihrer zuerst bemächtigt[85].

Die Umkehr in der tödlichen Gefahr, in die sich die moderne Welt selbst gebracht hat, muß darum eine Umkehr in diesen ihren wesentlichen religiösen Grundlagen sein. Der Gott, dessen Bild auf der Erde zu sein des Menschen höchste Würde ist, ist nach der biblischen Tradition nicht „Allmacht", sondern in seinem Wesen und in seiner Existenz „Liebe" (1 Joh 4,16). Nicht durch Machtergreifung über die Natur, sondern durch eine Gemeinschaft mit ihr, die durch die liebende „Ehrfurcht vor dem Leben" (A. Schweitzer) geprägt ist, entsprechen Menschen Gott. Daraus folgt, daß Menschen wohl das Nutzungsrecht, nicht aber das Verfügungsrecht über die Natur in Anspruch nehmen können. Im Zeitalter der systematischen Verfügung über die Natur muß der Glaube an die Natur als Schöpfung Gottes zum Wider-

---

[84] Vgl. *J. Moltmann,* Gott in der Schöpfung. Ökologische Schöpfungslehre, München ²1985, § 1: Die Herrschaftskrise, 36 ff.
[85] *W. Leiss,* The Domination of Nature, New York 1972.

spruch und zum Widerstand gegen ihre Ausbeutung und Zerstörung durch den Menschen führen. Der christliche Schöpfungsglaube ist heute in der kulturellen Widerstandsbewegung der ökologischen Gruppen lebendig und wird in ihnen glaubwürdig gelebt.

4. Nicht zuletzt soll auf einen schwerwiegenden Wandel im *Wahrheitskriterium* der modernen Welt aufmerksam gemacht werden. Von alters her wurde Wahrheit als *Übereinstimmung* und Entsprechung verstanden: Die Übereinstimmung des Begriffs mit der begriffenen Sache galt als seine Wahrheit (adaequatio rei et intellectus). Die Übereinstimmung der Gesetze der menschlichen Gesellschaft mit den Gesetzen des natürlichen Kosmos galt als die Gerechtigkeit dieser Gesetze. Die Entsprechung des menschlichen Seins zum ewigen, göttlichen Sein, aus dem es entspringt, galt als die Wahrheit und Rechtfertigung der menschlichen Existenz. „Wahrheit" wurde als Gleichgewicht, Übereinstimmung und Frieden aufgefaßt. Mit Beginn der europäischen Neuzeit änderte sich dieses Wahrheitskriterium gründlich. Jetzt wurde die *Praxis* zum Kriterium der Wahrheit, und zwar die menschliche Praxis im weitesten Sinne des Wortes, die moralische Praxis ebenso wie die technische Praxis, zusammengefaßt: die geschichtliche Praxis der Menschen. Schon *I. Kant* erklärte alles in der religiösen Überlieferung, woraus sich „nichts fürs Praktische machen" läßt, für Dogmatismus und Aberglauben. Für den Glauben der Neuzeit ließ er nur gelten, „was in praktischer (moralischer) Absicht anzunehmen möglich und zweckmäßig ist"[86]. Entsprechend erkennt die menschliche Vernunft an der Natur nur das, „was sie selbst nach ihrem eigenen Entwurfe hervorbringt"[87]. Die durchgehende Praxisorientierung hat zur Instrumentalisierung der menschlichen Vernunft geführt. Sie ist kein „vernehmendes Organ" mehr, sondern ein operatives, planendes Organ des Menschen. Als „rational" gilt nicht mehr die theoretische Übereinstimmung der Erkenntnis mit dem Erkannten, sondern die Effektivität der Zweck-Mittel-Relation in der

---

[86] *I. Kant,* Der Streit der Fakultäten (1798), PhB 252, Hamburg 1959, 37.
[87] *I. Kant,* Vorrede zur 2. Aufl. der Kritik der reinen Vernunft, Werke III, Berlin 1911, 7–26.

Praxis. Die moderne Religionskritik bietet keine religiöse Sachkritik mehr an den Inhalten des Glaubens, sondern ist eine rein funktionale Kritik an den psychischen, politischen und sozialen Wirkungen dieses Glaubens. Sie fragt nicht mehr nach wahr oder falsch, sondern nur noch nach den Funktionen unterdrückendbefreiend, entfremdend-humanisierend. Auch sie macht damit die Praxis zum Wahrheitskriterium der Religion. Unter diesen Bedingungen ist es notwendig, daß sich die Theologie selbstkritisch auf das Wahrheitskriterium „Praxis" einläßt und nicht mehr nur die Orthodoxie des Glaubens, sondern ebenso die Orthopraxie der Liebe betont. Theologie und persönliche wie politische Lebenspraxis rücken in ein dialektisches Verhältnis zueinander. Die kritische Theologie reflektiert die Lebenspraxis im Licht des Evangeliums und verwirklicht dieses in neuer Praxis[88]. Die Lebenspraxis selbst bekommt eine kognitive Relevanz. Dies ist der Ausgangspunkt der neuen Politischen Theologie: „Die Philosophen haben die Welt nur anders interpretiert, es kommt darauf an, sie zu verändern" (Marx, Feuerbachthese 11). Eine Theologie der Hoffnung auf das weltverändernde Reich Gottes führt zu einem geschichtlichen Veränderungswissen. Durch Kritik der bisherigen Praxis von Christen und Kirchen in der modernen Gesellschaft und durch die Antizipation der erhofften Neuschöpfung aller Dinge wird sie aktuell[89].

Je mehr aber sich die christliche Theologie auf diese Weise auf das Praxiskriterium der Wahrheit einläßt, desto mehr wird sie auch dessen Grenzen wahrnehmen. Die Operationalisierung der menschlichen Vernunft hat diese zwar wirksamer, aber auch ärmer gemacht. Die alten Formen der meditativen und der ganzheitlichen Wahrnehmung der Dinge und Lebewesen sind dem modernen Menschen fremd geworden. Viele moderne Menschen spüren diese Verarmung persönlich. Die Methoden der nur analytischen Wissenschaften erschöpfen sich. Die Praxisorientierung hat die neuere Politische Theologie schon sehr früh zu einer Einschätzung und Aufnahme der *mystischen Erfahrung* ge-

---

[88] Vgl. *G. Gutierrez,* Theologie der Befreiung, Mainz/München 1973, 10 ff.
[89] Diese Methode hat sich auf den ökumenischen Konferenzen und Vereinigungen, besonders in der Dritten Welt, durchgesetzt.

führt[90]. Das praktisch-politische Verhältnis zur Wahrheit unter der Devise „Verwirklichung" ruft nach Ergänzung durch das meditativ-mystische Verhältnis zur Wahrheit in der Erfahrung der Übereinstimmung, der Entsprechung und des Friedens.

Wir haben vier Problembereiche aufgeführt, in denen das wissenschaftlich-technische Projekt der modernen Welt in Widersprüche geraten ist. Die christliche Theologie hat die Aufgabe, die christliche Tradition und Botschaft kritisch und therapeutisch auf diese moderne Situation zu beziehen, denn nur dadurch kann sie die Überlieferung des christlichen Glaubens, der Liebe und der Hoffnung vermitteln. Diese „Vermittlung" verlangt Anpassung und Widerspruch. Die Theologie muß sich auf die veränderten Bedingungen der Welt einlassen, um diese ihrerseits zugunsten des Friedens, der Gerechtigkeit und des Lebens der Schöpfung zu verändern.

---

[90] *J. B. Metz,* Zeit der Orden? Zur Mystik und Politik der Nachfolge, Freiburg 1977; *J. Moltmann,* Gotteserfahrungen: Hoffnung, Angst, Mystik, München 1979; *D. Sölle,* Die Hinreise. Zur religiösen Erfahrung, Stuttgart ³1976.

QUAESTIONES DISPUTATAE

die zuletzt erschienenen Bände:

102 Ethik im Neuen Testament
Hrsg. v. K. Kertelge. Beitr. v. F. Böckle, J. Eckert, W. Egger, F. Furger,
P. Hoffmann, G. Lohfink, R. Schnackenburg, D. Zeller
216 Seiten. ISBN 3-451-02102-1

103 Stefan N. Bosshard, Erschafft die Welt sich selbst?
Die Selbstorganisation von Natur und Mensch aus naturwissenschaftlicher,
philosophischer und theologischer Sicht
2. Auflage. 264 Seiten. ISBN 3-451-02103-X

104 Gott, der einzige. Zur Entstehung des Monotheismus in Israel
Hrsg. v. E. Haag. Beitr. v. G. Braulik, G. Hentschel, H.-W. Jüngling, N. Lohfink, J. Scharbert, E. Zenger
192 Seiten. ISBN 3-451-02104-8

105 Auferstehung Jesu – Auferstehung der Christen. Deutungen des Osterglau-
bens
Hrsg. v. L. Oberlinner. Beitr. v. I. Broer, P. Fiedler, H. Gollinger, I. Maisch,
J. M. Nützel, L. Oberlinner, D. Zeller
200 Seiten. ISBN 3-451-02105-6

106 Seele – Problembegriff christlicher Eschatologie
Hrsg. v. W. Breuning. Beitr. v. R. Friedli, G. Greshake, E. Haag, G. Haeffner,
O. H. Pesch, H. Verweyen
224 Seiten. ISBN 3-451-02106-4

107 Liturgie – ein vergessenes Thema der Theologie?
Hrsg. v. K. Richter. Beitr. v. A. Angenendt, D. Emeis, M. M. Garijo-Guembe,
A. Kallis, K. Kertelge, A. Th. Khoury, K. Lüdicke, F. Merkel, J. J. Petuchow-
ski, K. Richter, R. Sauer, H. Vorgrimler, P. Weimar
2. Auflage. 192 Seiten. ISBN 3-451-02107-2

108 Das Gesetz im Neuen Testament
Hrsg. v. K. Kertelge. Beitr. v. J. Beutler, I. Broer, G. Dautzenberg, P. Fiedler,
H. Frankemölle, J. Lambrecht, K. Müller, F. Mußner, W. Radl, A. Weiser
240 Seiten. ISBN 3-451-02108-0

109 Theorie der Sprachhandlungen und heutige Ekklesiologie. Ein philosophisch-
theologisches Gespräch
Hrsg. v. P. Hünermann, R. Schaeffler. Einführung v. L. Averkamp. Beitr. v.
W. Beinert, N. Brox, E. Coreth, F. Courth, K. Demmer, A. Halder, F.-L.
Hossfeld, P. Hünermann, R. Schaeffler
184 Seiten. ISBN 3-451-02109-9

110 Unterwegs zur Kirche. Alttestamentliche Konzeptionen
Hrsg. v. Josef Schreiner. Beitr. v. W. Breuning, H. F. Fuhs, W. Groß, F.-L.
Hossfeld, N. Lohfink, Th. Seidl
200 Seiten. ISBN 3-451-02110-2

111 Hans-Josef Klauck, Judas – ein Jünger des Herrn
160 Seiten. ISBN 3-451-02111-0

112 Der Prozeß gegen Jesus. Historische Rückfrage und theologische Deutung
Hrsg. v. K. Kertelge. Beitr. v. J. Blank, I. Broer, J. Gnilka, F. Lentzen-Deis,
K. Müller, W. Radl, H. Ritt, G. Schneider
240 Seiten. ISBN 3-451-02112-9

Herder Freiburg · Basel · Wien